我的經方我的夢

（第2版）

王三虎 著

西安交通大学出版社
XI'AN JIAOTONG UNIVERSITY PRESS

U0303804

图书在版编目(CIP)数据

我的经方我的梦 / 王三虎著. — 2 版. — 西安：
西安交通大学出版社，2021.1(2022.8 重印)
ISBN 978 - 7 - 5605 - 8249 - 8

Ⅰ. ①我… Ⅱ. ①王… Ⅲ. ①经方−研究
Ⅳ. ①R289.2

中国版本图书馆 CIP 数据核字(2020)第 069123 号

书 名	我的经方我的梦(第 2 版)	
著 者	王三虎	
责任编辑	赵丹青	
责任校对	唐永利	

出版发行　西安交通大学出版社
　　　　　(西安市兴庆南路 1 号　邮政编码 710048)
网　　址　http://www.xjtupress.com
电　　话　(029)82668357　82667874(市场营销中心)
　　　　　(029)82668315(总编办)
传　　真　(029)82668280
印　　刷　西安日报社印务中心

开　　本　727mm×960mm　1/16　印张 15.25　彩页 1　字数 178 千字
版次印次　2021 年 1 月第 2 版　　2022 年 8 月第 3 次印刷
书　　号　ISBN 978 - 7 - 5605 - 8249 - 8
定　　价　58.00 元

如发现印装质量问题,请与本社市场营销中心联系。
订购热线:(029)82665248　(029)82667874
投稿热线:(029)82668803
读者信箱:xjtumpress@163.com

声　明

　　本书中所提之中医药方均为个案，中医讲求辨证施治，读者请勿擅自依照书中的案例服药，若有需求，请前往专业机构就诊。

帚滿平原渭水邊譽

滿華夏柳江緣寒暑

替轉備天道醫聖龕

笑在九泉 乙未年樊海書

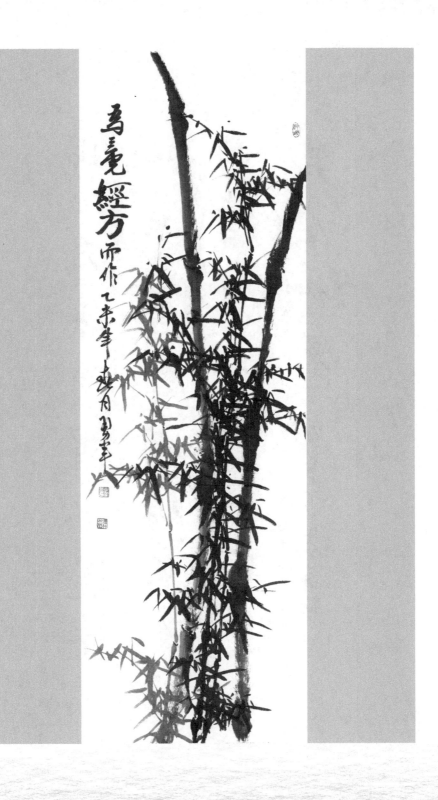

第二版·序

王三虎教授成才之路乃中医研究之模范

我听说王三虎教授是在 2015 年年底中国中医药出版社的选题会上。出版社金牌策划编辑之一的刘观涛主任神情激昂地介绍说,他费尽"九牛二虎之力",终于"抢到"了经方大家王三虎教授。王教授答应将其自 2015 年 1 月开始的每周一次"全国经方论坛"微信平台讲座——"经方人生"的内容交由中国中医药出版社出版。毫无疑问,该选题被迅速通过。

我从此心向往之。2016 年春节前几天,我和王三虎教授在广西柳州见面了。我们一见如故,相谈甚欢。我从王三虎教授身上看到了中医的成才规律和"中医研究"强大的"中医力量"。

"中医研究""研究中医"是已故国医大师陆广莘先生提出来的。记得那是 1986 年 8 月的某日,陆广莘先生到我办公室（卫生部中医司科技处）问我："小林，你知道中医药的科技工作怎么管理吗？"我说："我刚毕业，真不知道啊，请您教我。"陆老说："我告诉你四个字，'研究中医'，就是毛主席说的，中国医药学是一个伟大的宝库，应当努力挖掘，加以提高，要采用各种现代的手段来挖掘、研究中医药宝藏，取得创新成果，'中医研究'要依照中医发展规律——从临床中来，到临床中去，提高临床疗效。"这一思想影响了我一生。自 1986 年 7 月至 2007 年 1 月，我在国家中医药管理局科技司工作期间一直遵循这一理念：既支持、鼓励开展"研究中医"的科研工作，又特别注意支持、鼓励开展"中医研究"的科研项目，两手抓，两手都硬！我以为，以"青蒿素"为代表的一大批中医药科技成果即是"研究中医"的典范，而以我老师薄智云先生发明的"腹针疗法"等为代表的一大批中医疗法以及以王三虎、黄煌、熊继柏、卢崇汉等为代表的一大批中医临床专家夯实和发展了"中医研究"。

2017 年 6 月 15 日傍晚，我 74 岁的老母亲因高热 39.3 ℃导致晕厥，住进柳州市中医院肺病科 ICU（重症监护室）抢救。入院诊断：肺炎、2 型糖尿病、高血压 3 级（极高危）、低钾血症、脑出血术后。16 日中午，我从北京赶回柳州，13 时延请王三虎教授开出中药处方：麻黄 9 克、杏仁 15 克、生石膏 40 克、柴胡 10 克、黄芩 12 克、法半夏 12 克、大枣 20 克，2 剂，水煎服；13 时 30 分，我给母亲扎腹针，留针 30 分钟；16 时，母亲喝了汤药；20 时，我给母亲扎了第 2 次腹针，此时母亲体温已下降至 38 ℃，血压 158/80 mmHg，咳嗽大减。17 日 9 时，母亲服第 2 次汤药，然后扎第 3 次腹针；15 时，扎第 4 次腹针，此时母亲体温已下降至 36.8 ℃，血压 150/80 mmHg，几乎无咳嗽;20时,转至呼吸内科普通病房正常观察治疗。2天时间,母亲从ICU抢救到转入普通病房,生命重回正常轨道,感恩王三虎教授,感恩西医,感恩中医!我们有中医、西医两套医学体系共同维护身体的健康,是多么幸运!

王三虎教授的《我的经方我的梦》《经方人生》我读了若干遍,每次读都有新收获,他的成才之路,无疑再次证明了"读经典、多临床、跟明师"这一中医成才规律的正确性和可复制性。换句话说,只要我们坚持按此规律去努力,也有机会成长为中医大家。其次,刚开始背读经典时肯定会有难度,但切忌有畏难情绪,要持之以恒地坚持下去,才能有所收获。

王三虎教授在《我的经方我的梦》再版之际嘱我写序,我写了以上几点粗浅学习体会,请大家指正。

北京超岱中医研究院院长 林超岱

2019 年 9 月 6 日

第一版·序 I

我是一口气读完王三虎教授的新著《我的经方我的梦》的。王三虎教授(以下称为"作者")学经方、用经方三十多年的经历,是用几十个成功的案例串联起来的。这些案例犹如融进了作者回忆的涓涓细流,病情跌宕起伏、思路独到细腻、语言质朴无华、故事引人入胜,但这不仅仅是一部普通的回忆录,更是一本经方的故事。经过作者的讲述,原本枯燥的《伤寒论》《金匮要略》的原文,变成一个个活生生的病人,让字里行间充满了现场感,拉近了我们与经典的距离。

和历史上许多中医成才的规律一样,作者的成功与经方的学习密切相关。他早年在家乡踏入中医之门的时候,就经有识之士指点并开始背诵《伤寒论》;他的研究生时代在南京中医学院度过,得到宋立人、陈亦人两位伤寒论大家的指点;在后来的工作中,作者虽然以肿瘤专科为名,但其遣方用药,仍然以经方为基础,《伤寒论》《金匮要略》依然是他治病救人的准绳。从他提供的案例看,许多疑难杂症,所以能转危为安、出奇制胜,都与其深厚的功底有关。

　　作者的成功之路充满了艰辛。他从基层走来,凭着聪慧的天资,更凭着勤奋和刻苦,一步步,不徘徊,不后退,乐观向上,终于梦想成真,成为一位深受患者欢迎的名中医,也成为受到中医界关注的经方学者。作者的成功之路告诉我们,人活着要有梦,有了梦,我们的生活才有激情,我们前进的步伐才有力。而且,不同的年龄阶段,必须有不同的梦。我欣赏作者的梦!

　　作者的经历,为年轻的中医学子提供了一条学好中医的成功之路。作者的经验,可以启发读者学经典、用经方的思路并在临床中借鉴和应用。作者在学习经方过程中执着向上的精神,更是中华人民共和国成立以后我国中医人继承创新、不断进取的缩影,在为实现中国梦而努力奋斗的今天,这种精神更显得弥足珍贵。

　　衷心祝愿王三虎教授在经方的应用研究上取得新的更大的成绩!

南京中医药大学教授　黄　煌

2015 年 5 月 12 日

在一次国际中医联合群的讲座上,我初识王三虎教授。那一天,群中聚集了多名国内外医学界的专家、教授,更有众多中医界的大师及数百位世界各地卓有名气的行医高手,越过千山万水,云集一堂,只为聆听王三虎教授的一席讲座。

我是长篇小说《走过情人港》的作者,也是一名中医学士,在国内外从事中医临床工作 26 年,有幸聆听了此次讲座。就是在这次讲座上,我荣幸地与王三虎教授结识。王教授的讲座,得到大家的一致赞扬!专家学者纷纷献花致谢!场面之热烈,非同寻常!我被深深地感染了!

"看山是山,看水是水;看山不是山,看水不是水;看山还是山,看水还是水。"这段话是王教授在讲座中形容一个医生成长的历程。非常精辟!王教授从少年时期就苦苦背诵《伤寒论》《金匮要略》,一步一个脚印,踏踏实实地学习中医、应用经方。从学生到临床医生、研究生导师,一直到学科带头人,王教授坚实的理论基础、认真勤奋的工作态度和智慧灵活的经方临床经验,值得每一个人学习。

《我的经方我的梦》这本书通过王三虎教授一系列应用经方的实例为我们展现了一个医生从初学者到大师的漫漫历程,也为普天之下的中医学子如何学习中医,如何尽快地深入理解经方、应用经方,更快更好地成长为一名成熟的医生指明了方向。

作为一名从医 26 年的中医,以及《走过情人港》的作者,拜读王三虎教授《我的经方我的梦》,犹觉眼前一亮。文中丰厚的知识、生动的实例、精彩的文风,一章一节均有见地,读来受益多多。这本书是一本难得的好书!因此,强烈推荐给广大医学生,即使不是医学生,读此著作,也会受益匪浅!

悉尼中医 琅 玉

2015 年 6 月 16 日

目 录

第一章　少年梦——学经方 …………………（1）

第二章　青年梦——用经方 …………………（24）

第三章　中年梦——发扬经方 ………………（72）

第四章　老年梦——宣扬经方 ………………（152）

跋 ………………………………………………（223）

经方索引 ………………………………………（226）

第一章　少年梦——学经方

说起来，我是 1971 年初中毕业以后开始步入医学殿堂的。当时我进入五七中学卫生班学习，相当于现在的职业中学，两年制，学了一些西医学基础知识及一些中医学内容。这个时候，我梦到我成了背着出诊箱（皮革质地）巡诊的赤脚医生。但毕业以后，我却经伯父王仰文的介绍，来到了王家洼公社卫生院工作（起初是有补助的学习），成为一名药房的司药。当时的卫生院实际上只有四个医师，加上司药，一共六七个人，规模很小，患者量也不大。我去的时候只有 15 岁，恰好这四个医师中有一个三十来岁的中医，他给实习生讲："通伤寒者，医门之过半也。"意思是说把《伤寒论》搞懂了，医学之门一半就过了。这句话对我影响深远。同时，党学都老师给我们讲了六经提纲和一些最常见的方剂，了解这些之后，我就认定了《伤寒论》，马上托人买了一本。当时买一本书很困难，正好我们合阳县书店有，就买到了这本 1973 年出版的《伤寒论语译》，并开始背诵。说实话，司药的工作对于当时一个十六七岁的少年来说压力已经够大了，再加上要自学好多东西，抽出时间背《伤寒论》很不容易。不过当时确实没有现在所谓的"时间到哪儿去了"的感觉，我觉得时间很充裕，尤其是每天清晨早起一点，走在乡间的小路上，背着"伤寒"我心欢畅。当医生是梦想,抓住根本不能忘。为什么呢?因为当时"农业学大寨,工业学大庆,全国人民学习解放军,解放军学全国人民",我们这些既不是正式职工,又不是副业工、合同工,还不参加第一线生产劳动,在"防空洞"里藏着的人,能有时间学习,就觉得机会太难得了,所以我每天都抽出时间翻来覆去地背《伤寒论》。用了一两年时间,我能够把《伤寒论》倒背下来。

《伤寒论》的原文实际上只有四万字,如果按我当时的背诵方法,背一遍需要四个小时,我能背到你说哪一条就背哪一条,只提条文名字或号码就能背出来。那个时候,我才明白什么叫"王明倒背马列","倒背"是你说前边他背前边,说后面他背后面。那么背到什么程度呢?背到指导我学《伤寒论》的老师认为没有必要背那么多了,有方证的背背就可以了,农村用不上那么多。我还有点不以为然,我认为既然《伤寒论》重要,怎么就能限定有方证的重要,没有方证的就不重要呢!我有的是精力和时间。同时,在背诵的过程中我也做了一些理论探讨。现在翻出我 1974 年的日记,至今也 40 余年了,记录的病案大约有 20 个,病名、病因、病机、病位、辨证、治法、方药、疗效一应俱全。当时的我真的是"初生牛犊不怕虎",其中就有用麻黄汤的病案。有个青年,咳嗽、气喘、无汗、头痛,用了一两剂麻黄汤就好了。远不像现在,在学习麻黄汤的时候,老师讲了:麻黄发汗力强,麻黄汤发汗力峻猛。这样一讲,作为中医教材里的第一味药、第一个方子,好多中医却一辈子不用麻黄,不用麻黄汤。我当时没有这个束缚,所以就大胆地用了麻黄汤,在临床中也取得了明显的效果。

《伤寒论》35 条：太阳病，头痛发热，身疼，腰痛，骨节疼痛，恶风，无汗而喘者，麻黄汤主之。

麻黄汤方

麻黄三两，去节　桂枝二两，去皮　甘草一两，炙　杏仁七十个，去皮尖

上四味，以水九升，先煮麻黄，减二升，去上沫，内诸药，煮取二升半，去滓，温服八合，复取微似汗，不须啜粥，余如桂枝法将息。

《伤寒论》36 条：太阳与阳明合病，喘而胸满者，不可下，宜麻黄汤。

《伤寒论》37 条：太阳病，十日以去，脉浮细而嗜卧者，外已解也。设胸满胁痛者，与小柴胡汤。脉但浮者，与麻黄汤。

《伤寒论》46 条：太阳病，脉浮紧，无汗，发热，身疼痛，八九日不解，表证仍在，此当发其汗。服药已，微除，其人发烦，目瞑。剧者必衄，衄乃解，所以然者，阳气重故也。麻黄汤主之。

《伤寒论》51 条：脉浮者，病在表，可发汗，宜麻黄汤。

《伤寒论》52 条：脉浮而数者，可发汗，宜麻黄汤。

《伤寒论》55 条：伤寒脉浮紧，不发汗，因致衄者，麻黄汤主之。

《伤寒论》232 条：脉但浮，无余证者，与麻黄汤；若不尿，腹满加哕者，不治。

《伤寒论》235 条：阳明病脉浮，无汗而喘者，发汗则愈，宜麻黄汤。

其次,用小青龙汤治疗外感寒邪、内有水饮的咳嗽气喘,用白虎汤治疗牙痛等,效果都很好。这些在我的病案里都有记录。

经方溯源

《伤寒论》40 条:伤寒表不解,心下有水气,干呕发热而咳,或渴,或利,或噎,或小便不利,少腹满,或喘者,小青龙汤主之。

小青龙汤方

麻黄三两,去节　芍药三两,去皮　细辛三两,去皮　干姜三两,去皮　甘草三两,炙,去皮　桂枝三两,去皮　五味子半升　半夏半升,洗

上八味,以水一斗,先煮麻黄,减二升,去上沫,内诸药,煮取三升,去滓,温服一升。若渴,去半夏,加瓜蒌根三两;若微利,去麻黄,加荛花,如一鸡子。熬令赤色;若噎者,去麻黄,加附子一枚,炮;若小便不利,少腹满者,去麻黄加茯苓四两。若喘去麻黄加杏仁半升,去皮尖。

《伤寒论》41 条:伤寒,心下有水气,咳而微喘,发热不渴。服汤已渴者,此寒去欲解也。小青龙汤主之。

《金匮要略·痰饮咳嗽病脉证并治第十二》:病溢饮者,当发其汗,大青龙汤主之,小青龙汤亦主之。

《金匮要略·妇人杂病脉证并治第二十二》:妇人吐涎沫,医反下之,心下即痞,当先治其吐涎沫,小青龙汤主之;涎沫止,乃治痞,泻心汤主之。

值得我骄傲的还有一件事,当时我母亲得了少阳证,我给她用小柴胡汤治疗,结果她吃了一剂病情就基本好转了。我诊脉发现她前一天还是脉弦,服药后第二天就变成了脉小。《伤寒论》271 条说:"伤寒三日,少阳脉小者,欲已也。"即三天后脉小者就是病快好了,不用吃药了,结果正如张仲景所言。

还有一件非常有意思的事,我的伤寒启蒙老师党老师得了低血压,眩晕数日,闭目尚可,睁眼则剧,打算第二天去西安找他的老师诊治。我知道后找到他说:"党老师你能不能听我说一句话?"他说:"什么话?"我说:"有人在杂志上发表过文章,可以用桂枝甘草汤治疗低血压。"(听了这句话)他非常感兴趣,我接着说:"文章认为低血压是心肾阳虚,所以用桂枝甘草汤补心阳,加肉桂补肾阳,三味药,每天各 10 克冲服。"党老师听后愿意尝试,结果我们卫生院缺一样药,我还亲自从外村的医疗站买回来,三味药,炙甘草、桂枝、肉桂各 10 克,泡水喝。每天晚上我用血压计给他测量血压,直至恢复正常。党老师激动地说:"舍此三味,别无良方。"结果我们师徒俩用这个方子在合阳、韩城一带治好的低血压患者不少于三四十人,这也是我当初学"伤寒"和用"伤寒"的例子。

经方溯源

《伤寒论》64 条:发汗过多,其人叉手自冒心,心下悸,欲得按者,桂枝甘草汤主之。

桂枝甘草汤方

桂枝四两,去皮　甘草二两,炙

上二味,以水三升,煮取一升,去滓,顿服。

　　还有一个例子,我一个本村的同学王昌生咽喉痛,我看他的咽喉不红肿,就给他开了半夏散及汤,张仲景《伤寒论》中说,"少阴病,咽中痛,半夏散及汤主之",用的就是半夏、桂枝、甘草。这三味药非常便宜,但效果却非常好。患者反馈,这次病痊愈以后再犯此病用此药仍有效。临床上这类病很多,一般都是使用抗生素进行治疗。半夏散及汤中用半夏化痰、桂枝温阳、甘草利咽,配伍非常巧妙,以至于这么多年,不管是在西安还是柳州,我经常在临床中使用该方,治好了许多患者。使用经方的关键是找准证候,才能有所收效。

经方溯源

《伤寒论》313 条:少阴病咽中痛,半夏散及汤主之。

半夏散及汤方

半夏,洗　桂枝,去皮　甘草,炙

上三味,等分,各别捣筛已,合治之,白饮和,服方寸匕,日三服。若不能散服者,以水一升,煎七沸,内散两方寸匕,更煎三沸,下火令小冷,少少咽之。半夏有毒,不当散服。

我学医以后,在我们村做得最有意义、最有影响力的一件事是:我们村一个和我家关系比较近的老奶奶牙痛,我告诉她可以服用白虎汤进行治疗,当年我在卫生院经常用白虎汤治疗胃火牙痛。但是她说自己不能吃石膏这些凉药,一吃就拉肚子,我告诉她可以加几片生姜,用生姜把胃护住,然后再用白虎汤清泻胃火。听了我建议,她服药后果然牙不痛了,也没有其他不良反应。老奶奶用了这个药以后,从此就很信任我,从我学医开始一直到她老人家去世,几乎我每年回去她都要以看病的名义叫我去吃个饭,送我土特产。这种信任当然也从一个人扩大到我们整个村子的人。这种寒热并用治疗疾病的方法,是我灵活运用经方的先期实践,更重要的是,对我以后用寒热错杂的观点看问题、提出"寒热胶结致癌论"奠定了基础。

　　实际上,这个时候我还看了不少书,其中《脾胃论》就是一本。我的少年梦是从一首诗开始的,前三句是"昨夜神授秘方一首,今日晨起记在心头,升阳益胃东垣所创",我记得很清楚,只可惜与医圣无缘。

　　我边背《伤寒论》、边实践取得了显著效果,从而加强了我反复背诵的欲望。那时,我还没考上渭南中医学校。

　　本来我读经方、背《伤寒论》是为当一个好的赤脚医生。谁想改革开放,尤其是教育制度的改革给我打开了一扇通往"理想之路"的大门。于是我开始认真备考,在备考过程中,"A＋B＋C＝D"这些都是从头开始学起的。虽然我的数学不好,但是语文、物理、化学还可以,最后考上了渭南中医学校。从某种意义上讲,这是我经方梦的超越。

　　进入渭南中医学校以后,我满怀期待。我们班当时有 50 个人,其中,20 多个人有医学经历,其中也有人是所谓三年制"五七大学"毕业的。如何处理中专学习和个人优势的关系是我面临的问题。我认为,我们虽然有基础,但是这些基础和正式中专要求相差甚远,所以我的学习是以"门门及格,优势突出,总分领先"为目标的,也就是说,《伤寒论》还得背,经方还得学,但学校里开设的课程仍要力争上游。所以在这三年中,我对各门课程的学习都不敢懈怠。第一学年末,我在 200 名学生中成绩排名第三。

渭南中医学校的周围都是农村,有很宽的田间小路,适宜背书。我背书有一个特点,就是要走着背,不能坐着背,不能躺下背,所以才有"走在乡间的小路上"的说法。为什么要走着背呢?就像我们饭吃多了要运动一样,"饭后百步走,能活九十九",或者说边背书边走路这样才有利于记忆的强化,有利于信息的储存。在背书过程中,我是以每门课程,尤其是中医这几门主要课程中的证型、方剂为重点的,中专毕业时我已经能背六百首方剂。因为我有个观点,咱们平时有什么疾患解决不了,就说"看你有没有方子,有方子就好办",这个"方子"就是以经方为基础的。由于我的指导思想是对的,用功也就有了收获。

我记得在中医学校时最喜欢周末和假期。因为只有在周末和假期我才能背经方、背《伤寒论》、背《金匮要略》,才能自己支配时间。当时的梦是希望自己有朝一日考上研究生。

在上学期间我最高兴和期盼的还有每年的二月份,因为二月份是 28 天,我就有多余的 3 天饭票用来补贴日常生活。应该说我当时还是学有余力的,所以我还看了一些《伤寒论》注家的书籍,也练习写一些小的论文。那个时候,我觉得能发表一篇文章很不简单,所以即使在练习本上练习的时候我也在标题下面郑重地写上"王三虎",再开始下面的内容。在第二学年结束的时候,我在图书馆看到一本李克绍副教授的《伤寒解惑》,非常薄的一本书,但我看了以后感觉收获良多,同时也发现了一些问题。因为这时的我对《伤寒论》比较熟悉,所以对于李克绍教授的有些观点不完全赞同,看完李克绍教授的书后我写了一篇《读〈伤寒解惑〉后的一点看法》。没有想到,在即将中专毕业时,突然有同学告诉我这篇文章发表了,我的激动心情难以言表,看到文章以后,听到旁边同学讲,"王三虎这个名字黑体字,和岳美中、方药中都并列起来了",这在当时造成了一时的轰动。经过4年的苦读后,我有幸成为中医学校办校40多年以来留校的两个医士之一,之后我和樊海两个人同时考上了南京中医学院的硕士研究生,那就是另外一回事了。现在渭南中医学校早已成了渭南职业技术学院的一部分,我有幸成为这所大专院校六大著名校友之一,"伤寒"、经方给我带来了超越梦想的荣誉。

留校以后,我抽出了更多时间用来写文章、背《伤寒论》。我于1981年7月留校,12月份就在《陕西中医》发表了《浅谈〈伤寒论〉的对举法》这一文章,大约是受到刘渡舟教授的影响,文章中探讨了《伤寒论》中条文排列、方剂命名等的一些奥秘。用我的话来说就是"如牛之初乳,绝对不掺水",所以文章发表了以后就收到了编辑部热情洋溢的来信,内容是:"王三虎同志,你的《浅谈〈伤寒论〉的对举法》发表以后,收到读者来信,认为是一篇理论和实践相结合的好文章,建议以后多写此类文章。还可来编辑部商谈今后选题。"这封盖着红章的公函,我作为"文物"现在还保留着。1982年,我又在《陕西中医》发表了一篇文章,叫《仲景遣词拾零》,这也是我当时有感而发而写的。我举个例子,"而且"的"而"在《伤寒论》《金匮要略》中非常常用,我认为弄清了这个"而"字,就好背《伤寒论》了。要不然不一定能背过,或者说越背越混淆。举个例子,葛根芩连汤、麻杏石甘汤都有"汗出"和"喘",怎么能够记住呢?关键是这个"而"字,葛根芩连汤是"喘而汗出",麻杏石甘汤是"汗出而喘",为什么呢?因为"而"表示递进,也就是说"而"字后面这个词是着重强调的,比如葛根芩连汤是"喘而汗出",不仅有喘,而且还有汗出,更重要的是汗出;麻杏石甘汤是"汗出而喘",有汗出更有喘,没有喘就不能用麻杏石甘汤,汗出倒不是绝对的了。

经方溯源

《伤寒论》34条:太阳病,桂枝证,医反下之,利遂不止,脉促者,表未解也。喘而汗出者,葛根黄芩黄连汤主之。

葛根黄芩黄连汤方

葛根半斤　甘草二两,炙　黄芩二两　黄连三两

上四味,以水八升,先煮葛根,减二升,内诸药,煮取二升,去滓,分温再服。

1983年,我和夫人吴喜荣在《陕西中医学院学报》上发表了一篇叫《仲景药量索引》的文章。这个文章提到了两个方子(因为我当时没有太多临床经验,所以主要引用了他人的病例来论证我的观点)。其中一个方子就是"旋覆代赭石汤",记录了有关药量的问题。刘渡舟教授的实习学生给患者开了旋覆代赭石汤,患者吃了3剂没有效果来找他,他刚开始认为此方没有问题,再一看,代赭石用了30克,超量了,便改成12克,因为用量为12克时药效留在中焦,用量达30克时药效就走下焦了。结果患者服用改过药量的方剂后就有效了。近几年再看《伤寒论》,旋覆代赭石汤中旋覆花三

两、人参二两、生姜五两、代赭石一两,看来本方中代赭石量小是仲景本意啊,难怪哩!

经方溯源

《伤寒论》161 条:伤寒发汗,若吐若下,解后,心下痞硬,噫气不除者,旋覆代赭石汤主之。

旋覆代赭石汤方

旋覆花三两　人参二两　生姜五两　代赭石一两　甘草三两,炙　半夏半升,洗　大枣十二枚,擘

上七味,以水一斗,煮取六升,去滓,再煎取三升,温服一升,日三服。

第二个例子,我当时留校以后旁听我们学校中医进修班的课程,当时教医古文的杜老师多年来反复口腔溃疡,看遍了渭南的名医,效果仍不明显,他就把病情告诉了当时的学员王焕生(他父亲王正宇是陕西中医学院方剂学教授,是个非常有学问的专家),向他父亲求药方。结果王正宇教授开了方,杜老师一吃便好。方子的组成是八味肾气丸加白芍、玄参,杜老师吃了一段时间觉得非常有效,但是药一停病就又犯了,他就继续吃。之后他就想,方子里不就是八味肾气丸加白芍、玄参吗,他就按方子里的量补上白芍、玄参加八味肾气丸成药一起吃。但是效果却不好,只有吃原方才行,这也说明张仲景的药量使用非常精妙。多年以后,当我研究《千金方》的时候才发现,王正宇教授开的不是八味肾气丸加白芍、

玄参,而是十味肾气丸,就是《千金方》的原方,感叹老先生是比我棋高一招,我不学不行啊!

我后来在内科病房当医生的时候遇到过这样一个病例,患者是由其他医生诊治过后我才接管的,患有阵发性心动过速,心率150次/分左右,但查体没有任何器质性问题。患者之前使用过安神镇静药物但是没有效果,我就反复询问患者发病时有无其他症状,他在说的时候无意中提到心口有热的感觉,一语点醒我,这就是无形热邪蕴结胃脘的泻心汤证,我就给患者开了大黄黄连泻心汤,没有加药。由于药量很小,我就让患者泡水喝。第二天查房时,患者心率降到每分钟五十几次,我正诧异病情怎么好转得这么快,一问才知,原来是他把两天的药量当成一天的量服用了,最后患者痊愈出院了。这个例子说明我们读经方不能只看字面意思,《伤寒论》里说吐血、衄血用泻心汤,虽然适应证并没有提到胃脘有热,但是我们仔细揣摩,这都是无形热邪蕴结胃脘,所以可以取大黄、黄连清气分热,热退就见效果。这个例子对我启发比较大,激起了我继续用经方的信心。

经方溯源

《伤寒论》154条:心下痞,按之濡,其脉关上浮者,大黄黄连泻心汤主之。

大黄黄连泻心汤方

大黄二两　黄连一两

上二味,以麻沸汤二升渍之,须臾绞去滓,分温再服。

《伤寒论》164条：伤寒大下后，复发汗，心下痞，恶寒者，表未解也。不可攻痞，当先解表，表解乃可攻痞。解表，宜桂枝汤，攻痞，宜大黄黄连泻心汤。

在中医学校工作的时候，也就是我刚谈恋爱时，当时的女朋友也就是我现在的夫人吴喜荣，平素身体肿胀。一次，她和我打乒乓球时说背上有巴掌大一片地方总感觉有异常，用药效果也不明显，我听了之后立马想到了张仲景说的"心下有痰饮，其人背寒冷如掌大"。虽然她没说她是背寒冷，但这"巴掌大一片"足以说明这是痰饮阻滞气机，阳气不能布达的结果，当为苓桂术甘汤证。我很快抓了两剂药，量用得比较大，打成粉让她吃，服药后，她原先的身体肿胀逐渐消失了，以至外形上变化很大。为什么之前的用药效果不好？我觉得是因为没有用经方。张仲景说："病痰饮者，当以温药和之"，"和之"很重要，如果不平和，一时的利水也不能起长久作用。后来，这个方子不但治好了她的病，也治好了她奶奶、她父亲，甚至我女儿的类似疾病。前几年，王欢说她胃里总有振水音，我告诉她是苓桂术甘汤证，吃了三剂颗粒剂，她说："振水音倒是没有了，小肚子又有点胀。"这就变成苓桂甘枣汤证了。

经方溯源

《伤寒论》67条：伤寒若吐若下后，心下逆满，气上冲胸，起则头眩，脉沉紧，发汗则动经，身为振振摇者，茯苓桂枝白术甘草汤主之。

茯苓桂枝白术甘草汤方

茯苓四两　桂枝三两,去皮　白术二两　甘草二两,炙

上四味,以水六升,煮取三升,去滓,分温三服。

《金匮要略·痰饮咳嗽病脉证并治第十二》:心下有痰饮,胸胁支满,目眩,苓桂术甘汤主之。

《金匮要略·痰饮咳嗽病脉证并治第十二》:夫短气有微饮,当从小便去之,苓桂术甘汤主之;肾气丸亦主之。

《伤寒论》65条:发汗后,其人脐下悸者,欲作奔豚,茯苓桂枝甘草大枣汤主之。

茯苓桂枝甘草大枣汤方

茯苓半斤　桂枝四两,去皮　甘草二两,炙　大枣十五枚,擘

上四味,以甘澜水一斗,先煮茯苓,减二升,内诸药,煮取三升,去滓,温服一升,日三服。作甘澜水法,取水二斗,置大盆内,以杓扬之,水上有珠子五六千颗相逐,取用之。

《金匮要略·奔豚气病脉证并治第八》:发汗后,脐下悸者,欲作奔豚,茯苓桂枝甘草大枣汤主之。

当时渭南中医学校附属医院开设了第二门诊部,我在中医儿科门诊坐诊。在儿科看诊过程中,我的治疗手段和方法受当时在合阳县中医医院实习时跟随的李景堂老师的影响颇深。李景堂老

师是非常专业的中医,治疗小儿肺炎只用两个方子,一个是小青龙汤,一个是麻杏石甘汤,并且效果明显。所以,在独立应诊期间,我也比较擅长使用小青龙汤、麻杏石甘汤等治疗小儿肺炎,但并不局限于这两个方子。我认为小青龙汤是针对肺部布满水泡音症状使用的,那么以喘、干鸣为主的证候则是麻杏石甘汤证。而临床上大量能见到的病症是小儿感冒、喉咙"呼啦呼啦"响,这是射干麻黄汤证。射干麻黄汤的适应证是"喉中有水鸡声",但是大多数人可能没有搞清楚"水鸡声"是什么,实际上张仲景所说的水鸡就是青蛙。这种喉中痰鸣就像青蛙在不停叫。对于患者来说就是咽喉有黏痰,它既不像小青龙汤的痰清稀,也不像麻杏石甘汤纯热证的痰少和以喘为主,而是介于两者之间,寒邪化热,寒热都有,所以用射干麻黄汤治疗平时儿科常见的咳嗽、气管炎、喉咙响效果非常明显。

经方溯源

《金匮要略·肺痿肺痈咳嗽上气病脉证治第七》:咳而上气,喉中水鸡声,射干麻黄汤主之。

射干麻黄汤方

射干十三枚(一法三两) 麻黄四两 生姜四两 细辛三两 紫菀三两 款冬花三两 五味子半斤 大枣七枚 半夏(大者洗) 八枚(一法半升)

上九味,以水一斗二升,先煮麻黄两沸,去上沫,内诸药,煮取三升,分温三服。

　　还有一个例子与半夏泻心汤证相关。有一次我到我姐家，她的邻居拉肚子，我根据他的症状判断为半夏泻心汤证，遂即给她开方，她服药后效果非常好，从此也让我对寒热错杂病机有了深入的理解。"五泻心汤皆治痞"，大家都知道寒热错杂、辛开苦降用泻心汤，但什么表现叫寒热错杂？其实就是有寒有热且表现于一身。比如一个人胃胀、拉肚子、舌红，不能吃凉的，不能受凉，一受凉就拉肚子，一吃凉的就胃痛，这就是寒热错杂；比如舌红、苔白，也是寒热错杂的表现。难以用单纯的寒或热解释，这一观点体现在我1992年出版的《经方各科临床新用》一书中。我认为这本书最有价值的就是我的这一观点。对寒热错杂的理解使我在临床上思维更加开阔，我也常常用这一思路解决临床上的问题。我女儿也学到了其中精髓，她刚上大学时，跟我回老家用半夏泻心汤给老乡治疗胃痛效果非常好，被多次夸赞，我也倍感自豪，至今她仍时常提及。

经方溯源

　　《伤寒论》149 条：伤寒五六日，呕而发热者，柴胡汤证具，而以他药下之，柴胡证仍在者，复与柴胡汤。此虽已下之，不为逆，必蒸蒸而振，却发热汗出而解。若心下满，而硬痛者，此为结胸也，大陷胸汤主之；但满而不痛者，此为痞，柴胡不中与之，宜半夏泻心汤。

半夏泻心汤方

　　半夏半升，洗　黄芩三两　干姜三两　人参三两　甘草三两，炙　黄连一两　大枣十二枚，擘上七味，以水一斗，煮取六升，去滓，再煮取三升，温服一升，日三服。

《金匮要略·呕吐哕下利病脉证治第十七》：呕而肠鸣，心下痞者，半夏泻心汤主之。

以上是我在中医学校学习三年、工作四年学经方、用经方的过程，在这个过程中我积极备考硕士研究生。在这里，我要说一些与之有关的话，到现在还有人埋怨考中医专业的研究生要考外语，我当时何尝不是这样想的，要是当年不考外语，我可能早都考上研究生了。但是，作为高级专业人才，不懂外语怎么行呢？学习外语，我们可以开阔眼界，交流也更加方便了，谁敢说中医就只是在自己的"一亩三分地"里看病。但外语这个敲门砖确实耗费了我大量精力，要不是学习外语，我可能能记住更多的方剂。

我于1985年考上南京中医学院伤寒论专业硕士研究生。当时考研的竞争十分激烈，全国报考南京中医学院伤寒论专业共有58人，上线有10人，参加面试有5人，最后有2人转入了内科和温病学专业，伤寒论专业只录取了3人。

我是宋立人老师的研究生，另外两人是陈亦人老师的研究生。南京中医学院是我国建校最早的高等中医院校之一，它成立的时候我才出生。南京中医学院伤寒教研室之所以影响全国，跟当时的学术带头人有关，他叫宋爱人，是苏州名医，也是我导师的父亲。当年宋爱人老师在南京的影响力很大，如果他从苏州到南京的话，南京报纸上都要刊登"宋爱人先生今日抵宁"的消息。宋爱人先生到南京中医学院以后，注重教学和人才培养，我的导师宋立人先生和陈亦人先生就受惠于此。他们两人共同努力，编著了在20世非常有影响力的《伤寒论译释》。他们两人都对我非常好，陈老师还曾公开跟别人讲，我是他赞许的三个青年伤寒论学者之一，这已经非常难得了。在我1992年出版《经方各科临床应用与探索》这本书后，他还亲自在硕士、博士生课堂上介绍这本书，有人买书后还把钱寄给我。而宋立人老师作为当代中医大家，主编了《中华本草》，对我也十分宽厚平和。他们两人对我以后学术风格的养成都产生了深厚影响。

作为一名伤寒论方向的研究生，我到了南京以后，也开始思考，该怎么学习呢？说实话，当时我确实觉得上研究生就是以后做大学问的起点，是当博士、教授的基础，不做基本的研究工作，不积累资料是不行的。恰好有一天，我走在南京的大街上，发现了装帧非常漂亮的中医读书卡片，我用了几乎一个月的工资买了3000张。用歌曲来表达我当时的心情就是："走在南京的大街上，买了卡片我喜洋洋。图书馆里把身藏，不管他白天还是晚上。"因此，我在这三年里养成了读书、读文献、记卡片的习惯，前后共记了2000多张卡片，这些卡片在我后来的临床工作中还真派上了用场。我刚到第四军医大学（现在空军军医大学）时，正好赶上"第四军医大学首届青年教师成才奖"的评选活动。在活动展览上，除过30多篇论文，我的2000多张卡片也非常引人注目。其实初选名单里没有我，认为我不符合条件，结果两个教授坚持要把我加上。最后，众意难违，我不仅参与了评选，最终还成为获奖者，也因此有了提前晋升讲师的资格，这也是带家属随军的必备条件。

边读书边做卡片笔记的过程，也是我深入思考的过程。我考上研究生之前就发表过6篇文章，加上在南京上学的三年期间，一共发表了30多篇文章。那个时候发文章是有稿费的，我的稿费虽然不能和工资相比，却也解决了不少生活问题。记得当时我用两篇文章的稿费,给我女儿买了一辆三轮车,使我感到非常自豪。我发表的这些文章中,有关经方的综述就占 8 篇,也有一些是心得体会和争鸣文章。因我当时年轻,锋芒毕露,例如五苓散,我既在《国医论坛》发表过五苓散的综述,也在《四川中医》发表过《五苓散不主蓄水证质疑》,在《陕西中医》发表过《也谈蓄水证——与杨中芳同志商榷》的争鸣文章,拓宽了我研究经方的思路,也让我走向了经方新用、经方活用、经方扩大应用的治学之路。

我对结胸病的研究,用我们师弟的话说就是"抠字眼"。首先我认为"胸"和"胸中"不一样,我提出张仲景说"胸中有寒",没有说"结胸"是"胸中",那么这个"胸"的范围要比"胸中"大,仅这几句话的意思我就在《河南中医》发表过论文。有意思的是,在我论文答辩时答辩主席提的问题正是我发表过的《〈伤寒论〉131 条之我见》的内容,这种情况,不要说当时,就是现在也不多见。我的毕业论文《结胸证的研究》分解开来前后一共发表了 7 篇文章,其中有文章后来还获得军队科技进步三等奖。

读研究生期间我一共发表过 4 篇日本译文。一篇是《小建中汤治遗尿》,一篇是《甘麦大枣汤治疗小儿情绪性惊厥》,因为在农村这两种病非常多见,所以关于这方面的研究非常有实际意义,而日本人关于这方面的治疗研究非常符合临床实际,值得我们学习。

经方溯源

《伤寒论》100 条:伤寒,阳脉涩,阴脉弦,法当腹中急痛者,先与小建中汤;不差者,与小柴胡汤主之。

小建中汤方

桂枝三两,去皮　甘草三两,炙　大枣十二枚,擘　芍药六两
生姜三两,切　胶饴一升

上六味,以水七升,煮取三升,去滓,内胶饴,更上微火消解,温
服一升,日三服。呕家不可用建中汤,以甜故也。

《伤寒论》102条:伤寒二三日,心中悸而烦者,小建中汤主之。

《金匮要略·血痹虚劳病脉证并治第六》:虚劳里急,悸,衄,腹
中痛,梦失精,四肢酸疼,手足烦热,咽干口燥,小建中汤主之。

《金匮要略·黄疸病脉证并治第十五》:男子黄,小便自利,当
与虚劳小建中汤。

《金匮要略·妇人杂病脉证并治第二十二》:妇人腹中痛,小建
中汤主之。

《金匮要略·妇人杂病脉证并治第二十二》:妇人脏躁,喜悲伤
欲哭,像如神灵所作,数欠伸,甘麦大枣汤主之。

甘草小麦大枣汤方

甘草三两　小麦一斤　大枣十枚
上三味,以水六升,煮取三升,温分三服。亦补脾气。

除了上述两篇文章,我还译过另外两篇文章《柴胡加龙骨牡蛎
汤治疗甲亢性心功能不全》和《肾病综合征的汉方治疗》。其中,
《肾病综合征的汉方治疗》中用的是补中治湿汤,也就是四君子汤

合平胃散去甘草、加黄芪。

《伤寒论》107 条：伤寒八九日，下之，胸满烦惊，小便不利，谵语，一身尽重，不可转侧者，柴胡加龙骨牡蛎汤主之。

柴胡加龙骨牡蛎汤方

柴胡四两　龙骨一两半　黄芩一两半　生姜一两半，切　铅丹一两半　人参一两半　桂枝一两半，去皮　茯苓一两半　半夏二两半，洗　大黄二两　牡蛎一两半，熬　大枣六枚，擘

上十二味，以水八升，煮取四升，内大黄，切如棋子，更煮一二沸，去滓，温服一升。

在读研究生的三年期间，我单独看诊的机会比较少，有一次我夫人单位有一个看门老头的孙女患了雷诺综合征，手足冰凉，疼痛得厉害，我用当归四逆汤治疗获得了良好疗效。这也是我从经方入手治疗疾病的例子。

《伤寒论》351：手足厥寒，脉细欲绝者，当归四逆汤主之。

当归四逆汤方

当归三两　桂枝三两，去皮　芍药三两　细辛三两　甘草二两，炙　大枣二十五枚，擘，一法十二枚　通草二两

上七味，以水八升，煮取三升，去滓，温服一升，日三服。

我在学校时勤于写文章，曾发表过一篇有关陈亦人教授在人民卫生出版社出版的图书《伤寒论求是》读后感的文章，叫作《人之愈深，得之愈真——陈亦人教授〈伤寒论求是〉读后》。当时在南京读温病专业的博士刘兴旺看到我文章中的一句话"市场疲软，此书何以不疲软？"就记住了我。因为当时全国图书市场不景气，市场疲软一语成了热门话题，而陈亦人教授的书却很快脱销了，也从侧面说明这本书写得很好。陈亦人教授送我的书还是他自留的一本。我还写过一篇文章叫《学问日进，老而弥坚——李克绍教授书文读后》。黄煌教授给我寄了他新出的书《张仲景五十味药证》《中医十大类方》，读后有感而发，写成《药虽是旧，宏之惟新——读〈张仲景五十味药证〉》一文，发表在《中国中医药报》上。尊重老师是我应该做的，更主要的是黄教授的语言很有见地，看问题很深刻。

那时候中医杂志比较少，我因为发表了一些文章，在学术界稍有一定的影响力。当时，《实用中医内科杂志》专门派编辑来找我当他们的审稿人。刘渡舟教授也专门派他的两个研究生到南京找我请教。我研究生毕业以后，有一次去北京，和当时孙思邈研究所所长一起去找刘渡舟教授，请他来做孙思邈研究所的顾问。刘渡舟教授正好在上门诊，围了一大圈学生，正在诊治一个用小柴胡汤

治疗肝病的病例。等他看完诊以后，我说："刘老，我是从陕西来的，我叫王三虎。"老先生已经七八十岁了，却一下子站起来脱口而出："你的文章写得好。"这确实让我很吃惊，也让我觉得很自豪，同时也显现出刘教授的大家风范。经方中间有大家，有大人物，只有心胸宽阔，才能成为大家、大人物。

还有原陕西中医学院的杜雨茂教授，我虽然不是杜老师的学生，但是杜老师却对我非常好。我的校友张晓峰，从黑龙江中医学院毕业以后想留在西安或者咸阳，但是他不知道该通过什么途径和方式，就来找我寻求帮助，我就找到了杜教授，杜教授立马就答应帮忙牵线，虽然最后张晓峰没能成功留在咸阳，但我还是很感激杜教授。后来，我又帮张晓峰联系到西安市中医医院工作，他现在已经是陕西名中医了。前几年我和杜老师的得意门生刘吉祥教授还到杜老师家里拜访他老人家。当晚，杜老师一反常态地健谈，给我们讲病例，领我们参观他的私人藏书，赠送我们他的新著作。在回来的路上，刘吉祥教授的夫人张金艳女士说没见过杜老师说过这么多话。我觉得正应了那句"寒夜客来茶当酒，知音人听话偏长！"

总之，在我读伤寒论、学经方的道路上，刘渡舟教授、陈亦人教授、宋立人教授、李克绍教授、杜雨茂教授、黄煌教授都是我非常好的"伤寒"前辈，我从他们身上学到了不少的东西。用司马迁的一句话讲就是："高山仰止，大航行至，身不能至，心向往之。"我一直用这句话自勉。我要像他们一样，有宽阔的胸怀，用"活到老学到老"的心态，为经方事业、为中医事业做出我应有的贡献。

第二章　青年梦——用经方

　　1988 年,我硕士研究生毕业后进入第四军医大学,在西京医院中医科门诊工作,这才从真正意义上开始了我应用经方之路,也有了用经方这个"锐利武器"大干一场的梦想,我也常常因出奇制胜治好某一疾病而于梦中笑醒。当然,我也知道,临床的磨炼才开始。经过几年的磨炼,对寒热错杂的认识这一经方思路的不断应用为我的临床实践打开了局面,也为我的患者群的初步建立发挥了积极作用。

　　说起来,我的家乡才是我经方事业的根据地。1999 年 7 月 30日,在我的家乡合阳县,一个 29 岁的小伙子,在饥饿并且生气的情况下吃了大量西瓜、豇豆,导致腹痛难忍且进行性加剧,经外科急诊怀疑胃穿孔,剖腹探查,确诊为肠系膜上动脉综合征造成急性胃扩张。医生解释,由于腹主动脉和肠系膜上动脉夹角太小,把十二指肠夹住了,下不去,需要手术把肠子拉下来,处理后关腹。患者术后出院,两天后复发,症状同前,保守治疗半月无效,医院诊断为急性胃扩张,建议再次手术,行胃大部切除术,家属不同意,希望寻求中医来解决问题。我对于该患者的治疗也没把握,因我的伯父王仰文是西医外科出身,所以便请他与我一同去看诊。看诊后,伯父也认为患者不宜手术。当时患者腹胀脘甚,胃扩张横径超过

30厘米,疼痛难忍,声音不足,形体消瘦,神疲乏力,大便三日未通,舌红苔黏腻,脉滑,属于湿热阻滞中焦,胃失和降。我用辛开苦降、燥湿和胃、益气降逆的方法来治疗,即半夏泻心汤加平胃散。组方:半夏15克,党参12克,黄连12克,生姜3克,炙甘草5克,苍术12克,川厚朴15克,陈皮10克,枳实20克,竹茹12克,代赭石20克,炙黄芪50克,升麻6克,白术12克,茯苓15克,降香12克,当归12克,赤芍12克。共2剂,每12小时1剂,水煎,分2次服。服药20小时后,患者胀、痛均消,大便得通,腹部平软,欲食稀粥,苔黏腻稍减,继续用原方3剂,平安出院,至今未再复发。

在1988—1994年间我用半夏泻心汤基本不加减来治疗胃炎取得了明显疗效。我们老家的患者常带着胃镜影像找我开药,而且往往是几个人一起来看,我用的还是半夏泻心汤。随着我的阅历和认知的增加,对该方中每味药的使用也有了很多思考。首先是大枣要不要用,如果按大枣甘不利于中满(痞),则应该去掉,但是大枣汁液浓厚,正是保护胃黏膜的药,也能够抵制干姜等辛味药的刺激,所以不能去掉。其次是炙甘草要不要去掉,答案是也不能去掉,虽然甘草容易导致中满,但是却能够调和中气,这点也很重要,只要用量不大即可,关键在于配伍。还有一个问题是用党参还是人参,我主张内科杂病用党参,一般用量为6克、15克或18克,很少用到30克。

在这个基础上,治疗胃炎我一般用半夏泻心汤,常加连翘、蒲公英,因为这两味药都能疏肝和胃,治疮痈,与胃炎从痈论治的思路不谋而合。同时,如果咽喉不利,往往加木蝴蝶12克,因为木蝴蝶利咽、疏肝、和胃,一药三用,非常合适。以胀为主的话,可加枳实、厚朴;以痛为主,加延胡索12克,川楝子12克。当疼痛范围扩大,向脐发展,可加高良姜和乌药。如舌上干燥,脉弦,我一般用百合、香附为对药。此外，还有两药值得注意，当归和桂枝。当归在治疗胃病上受到的关注度很高，很多人认为当归养血和血，其实当归的主要作用是和胃，当归建中汤就是个例子。另外，桂枝在和胃气降逆、散寒疏肝方面也非常有效。

还有大家熟悉的小柴胡汤，中医界的人都知道，日本的中医非常喜欢用小柴胡汤。好多人一辈子就是"小柴胡汤先生"。陕南有一个老中医叶锦文出了一本书叫《小柴胡汤的临床应用》，他用了一辈子小柴胡汤，也因小柴胡汤而成为名医。我要说的是，小柴胡汤能治这么多病，能被这么多医生所推崇，必然有它的道理。我理解最主要的是它能够疏利三焦气机，要知道小柴胡汤就是手少阳三焦经的主方啊，疏利了三焦气机，五脏六腑无所不包，所以一方治多病，就可以理解了。这是第一个原因。第二个原因，小柴胡汤中7味药，寒热并用，补泻兼施，表里双治，升降同调，没有比它配伍更妙的方子了。在临床上，我和其他中医一样都喜欢用小柴胡汤，其中就有一个代表性的例子。1998年除夕，我们村一名小伙子在县医院诊断为急性肾炎合并肾衰竭，被下了病危通知，主张马上转西安进行血液透析，当天晚上就找到我看诊，我看了患者的状况后，同意医院的诊断，但是认为在年关时转院不合适，宜先开3剂中药吃着，到初四再和我一起去西安。当时患者颜面略红而浮肿，精神困倦，头晕眼花，恶心呕吐，食欲不振，小便黄赤，大便干燥，三日未解，舌红，苔薄黄，脉滑数。尿常规：蛋白＋＋，隐血＋＋，可见颗粒管型，尿素氮 34 mmol/L，肌酐 356 μmol/L。我辨证为：风水、水热互结，三焦不利，毒邪蓄积，导致关格；法当清热行水，疏利三焦，通便排毒。用小柴胡汤、五苓散、苏叶黄连汤加味：柴胡 12 克，黄芩 12 克，半夏 12 克，生姜 6 克，竹茹 12 克，猪苓 15 克，泽泻 15 克，白术 15 克，茯苓 30 克，苏叶 10 克，黄连 10 克，车前子 12 克，马鞭草 15 克，大黄 10 克,生牡蛎 30 克,半边莲 30 克,白茅根 30 克。4 剂,水煎服,每日 1 剂,早、晚分服。因为患者有水肿,所以方中使用了小柴胡汤和五苓散,苏叶黄连汤是升清降浊、治疗关格的有效方药,再额外加了车前子、马鞭草、大黄、牡蛎、半边莲、白茅根。小伙子服药后,肾功能指标逐渐恢复至正常,到初四早上,病基本痊愈。我也因此被院长夸赞,说我是合阳人民的骄傲,这一年我 40 岁。

在一次渭南中医学校的同学聚会上,我说了一些我的验案,我的同学、现在的延安市名中医郭平问我:"你为什么能想到这样用经方,而一般人想不出呢?"我当时回答:"因为我读的书不比别人少,我也不比别人笨。"现在看来那都是当时年轻气盛的过激之辞。我其实并不属于特别聪明的人,当年也还没上过本科,下棋也远不如我四个弟弟,后来小有成就的关键是我抱住了经方,抱住了张仲景"这棵大树"。

我从渭南中医学校毕业 20 年来,我们学校的老师、家属来找我看病的非常少。2000 年左右的时候,我遇到一个很有意思的病例。我们学校有个姓丁的老师找到我,他爱人因神经性呕吐,正在唐都医院住院治疗,去年她就得过这个病,但是用遍所有止吐药、看遍当地所有医生都无效,直到在唐都医院花了 2000 元住院治疗才好。今年一发病,只好再次求助医院,结果住院费用翻了一倍,所以就找到我,问我有没有治疗方法。我的方法当然是中药。他用自行车把他爱人推到我家。我一看他爱人瘦得只剩皮包骨头,少气懒言,一到我家,就倒在大沙发上睡着了。经过诊治我认为该病为肝胃不和、三焦气机不利、胃失和降、寒热错杂所致,治疗用小柴胡汤合半夏泻心汤,患者服药没多久病就好了。后来,丁老师常对人说起此事,也使我在母校有了些名声。

经方溯源

《伤寒论》37条：太阳病，十日已去，脉浮细而嗜卧者，外已解也。设胸满胁痛者，与小柴胡汤，脉但浮者，与麻黄汤。

《伤寒论》96条：伤寒五六日，中风，往来寒热，胸胁苦满，默默不欲饮食，心烦喜呕，或胸中烦而不呕，或渴，或腹中痛，或胁下痞硬，或心下悸，小便不利，或不渴，身有微热，或咳者，与小柴胡汤主之。

小柴胡汤方

柴胡半斤　黄芩三两　人参三两　半夏半升，洗　甘草三两，炙　生姜三两，切　大枣十二枚，擘

上七味，以水一斗二升，煮取六升，去滓，再煎，取三升，温服一升，日三服。若胸中烦而不呕，去半夏、人参，加瓜蒌实一枚。若渴者，去半夏，加人参，合前成四两半，瓜蒌根四两。若腹中痛者，去黄芩，加芍药三两。若胁下痞硬，去大枣，加牡蛎四两。若心下悸，小便不利者，去黄芩，加茯苓四两。若不渴，外有微热者，去人参，加桂枝三两，温覆取微汗愈。若咳者，去人参、大枣、生姜，加五味子半升，干姜二两。

《伤寒论》97条：血弱气尽，腠理开，邪气因入，与正气相搏，结于胁下，正邪纷争，往来寒热，休作有时，默默不欲饮食。脏腑相连，其痛必下，邪高痛下，故使呕也。小柴胡汤主之。

服柴胡汤已，渴者，属阳明也，以法治之。

《伤寒论》98 条：得病六七日，脉迟浮弱，恶风寒，手足温，医二三下之，不能食，而胁下满痛，面目及身黄，颈项强，小便难者，与柴胡汤。后必下重，本渴，而饮水呕者，柴胡汤不中与也。食谷者哕。

《伤寒论》99 条：伤寒四五日，身热恶风，颈项强，胁下满，手足温而渴者，小柴胡汤主之。

《伤寒论》100 条：伤寒，阳脉涩，阴脉弦，法当腹中急痛者，先与小建中汤；不差者，与小柴胡汤主之。

《伤寒论》101 条：伤寒中风，有柴胡证，但见一证便是，不必悉具。凡柴胡汤病证而下之，若柴胡证不罢者，复与柴胡汤，必蒸蒸而振，却发热汗出而解。

《伤寒论》103 条：太阳病，过经十余日，反二三下之，后四五日，柴胡证仍在者，先与小柴胡汤；呕不止，心下急，郁郁微烦者，为未解也，与大柴胡汤下之则愈。

《伤寒论》104 条：伤寒十三日，不解，胸胁满而呕，日晡所发潮热，已而微利，此本柴胡证，下之以不得利，今反利者，知医以丸药下之，此非其治也。潮热者，实也。先宜服小柴胡汤以解外，后以柴胡加芒硝汤主之。

《伤寒论》144 条：妇人中风，七八日，续得寒热，发作有时，经水适断者，此为热入血室，其血必结，故使如疟状，发作有时，小柴胡汤主之。

《伤寒论》148 条：伤寒五六日，头汗出，微恶寒，手足冷，心下满，口不欲食，大便硬，脉细者，此为阳微结，必有表，复有里也。脉沉，亦在里也。汗出，为阳微。假令纯阴结，不得复有外证，悉入在里，此为半在里半在外也。脉虽沉紧，不得为少阴病。所以然者，阴不得有汗，今头汗出，故知非少阴也。可与小柴胡汤。设不了了者，得屎而解。

《伤寒论》229条：阳明病，发潮热，大便溏，小便自可，胸胁满不去者，小柴胡汤主之。

《伤寒论》230条：阳明病，胁下硬满，不大便而呕，舌上白胎者，可与小柴胡汤。上焦得通，津液得下，胃气因和，身濈然而汗出解也。

《伤寒论》231条：阳明中风，脉弦浮大而短气，腹都满，胁下及心痛，久按之气不通，鼻干不得汗，嗜卧，一身及面目悉黄，小便难，有潮热，时时哕，耳前后肿，刺之小差。外不解，病过十日，脉续浮者，与小柴胡汤。

《伤寒论》266条：本太阳病不解，转入少阳者，胁下硬满，干呕不能食，往来寒热。尚未吐下，脉沉紧者，与小柴胡汤。

《伤寒论》379条：呕而发热者，小柴胡汤主之。

《伤寒论》394条：伤寒差以后，更发热，小柴胡汤主之。脉浮者，以汗解之；脉沉实（一作紧）者，以下解之。

《金匮要略·黄疸病脉证并治第十》：诸黄，腹痛而呕者，宜柴胡汤。

《金匮要略·呕吐哕下利病脉证并治第十七》：呕而发热者，小柴胡汤主之。

《金匮要略·妇人产后病脉证并治第二十一》：产妇郁冒，其脉微弱，不能食，大便反坚，但头汗出，所以然者，血虚而厥，厥而必冒。冒家欲解，必大汗出。以血虚了厥，孤阳上出，故头汗出。所以产妇喜汗出者，亡阴血虚，阳气独盛，故当汗出，阴阳乃复。大便坚，呕不能食，小柴胡汤主之。

《金匮要略·妇人杂病脉证并治第二十二》：妇人中风，七八日，续得寒热，发作有时，经水适断者，此为热入血室，其血必结，故使如疟状，发作有时，小柴胡汤主之。

从上述引文可以看出,张仲景对小柴胡汤治疗热入血室证在书中有两次大段引用,而且放在《金匮要略·妇人杂病脉证并治第二十二》的开始,这么做肯定是有原因的。有一个例子,我一个亲属,在临近中考时,突然幻听,老觉得有人叫她,上课时常因听见有人叫她而走出教室。在当地看医生,说她有精神问题,得看精神科。我与她打电话问诊时问她是不是月经来了还没干净,她说:"是啊,月经一直淋漓不断。"对于该病例的辨证,我就想到了热入血室,因为正值月经前后,邪热侵入血室,可以出现很多症状。张仲景说"昼日明了,暮则谵语,如见鬼状者"("妇人伤寒发热经水适来,昼日明了,暮则谵语,如见鬼状者,此为热入血室,无犯胃气及上二焦,必自愈")。那是极端情况,幻听只是这种情况比较轻微的表现形式而已。我把方子发过去,患者只吃了1剂,第二天这些症状就基本消失了。我的同学知道此事后发短信称赞我是"真正的神医"。我不是"神医",张仲景才是神医。

此外,我平时还常使用小柴胡汤治疗乙肝。乙肝人群庞大,病毒携带者也很多,病毒携带者需要吃药么?我的观点是吃药比不吃好,虽然吃药不一定能彻底清除携带者体内的病毒,使之产生抗体,但从某种意义上,可以达到保肝解毒、消除症状的效果。长期服药,能防止患者病情进一步转化,当然个别患者也可能产生抗体,获得免疫效果。我在北京时见过刘渡舟教授用这个方子治疗乙肝,所以多少也借鉴了他的方法,在原方基础上加贯众、土茯苓、女贞子、丹参、黄芪、茯苓。我用这个方子治好了很多患者,也是这样逐渐由村、镇、县、市发展患者群的。

患者群建立的另一个有效途径,是在单位、同行、业内之间取得他们的信任和支持。我讲述一个相关案例:我老家有一个姓李的医生,他妻子得了乙肝,肝硬化,舌头上有黑豆大的瘀血块。看遍了县上的医生,蜈蚣、全蝎这些药都用过,量也越加越大,但就是消不掉瘀血块。在这种情况下,他找到我。我诊治后使用小柴胡汤加六味地黄汤、一贯煎进行治疗。我们传统的活血化瘀的方法有很多种,但是养阴活血这个思路实践的人却较少。服药一个月后,他妻子舌上的瘀斑消失,症状大减,令李医生佩服,后来他还给我介绍了好多患者。还有个例子,年龄更大些的王医师的妻子也是肝硬化,已经到了晚期,腹水加黄疸,在西安住了至少 3 次医院,治疗效果一直不好。后来,找到我诊治,我除了用柴苓汤以外,还另加了柴胡桂枝干姜汤、猪苓汤。我认为,她的病症正处于由阳黄到阴黄的转化过程,脾肾阳虚,阴虚水停。患者在我这里治疗了三四年,病情一直很稳定。其后,王医师给我介绍的患者超过百人。他还一直收集我在各村散落的处方,进行归类整理,很有古人之风。这就是我前面提到的,当有一个内行人推荐的时候,你就很容易让患者信服。

2017 年 12 月 14 日,我收到网友胡樟和医师的微信:"王老师您好!我是参加过您上次杭州培训课的学生,现在临床遇到一个患者,女,64 岁,肝功能检查谷丙转氨酶和谷草转氨酶一直在 200 U/L以上,持续三四个月了,服用中药没有效果,食欲、大小便、精神尚可,舌苔薄,舌质暗红。化验:谷草转氨酶 215 U/L,谷丙转氨酶201 U/L。B 超检查有脂肪肝。向老师请教一下怎么用药。"建议处方:柴胡 12 克,黄芩 12 克,党参 12 克,干姜 9 克,桂枝 12 克,茯苓 12 克,白术 12 克,栀子 12 克,大枣 6 个,甘草 12 克,姜黄 12 克。2017 年 12 月 29 日微信:"王老师您好!上次你这张处方患者吃了7 剂,谷丙转氨酶由 200 U/L 降到 94 U/L 了,谷丙转氨酶也降到92 U/L。治疗效果这么好患者也很高兴,谢谢王老师的指点。"小柴胡汤保肝降酶,推陈致新是常识。几十年间,我一直相信并使用。因为用过清泻肝经湿热的药方无效,我才将干姜换成生姜,加桂枝,有柴胡桂枝干姜汤之意,以防热邪未已,寒证复起。这也是我寒热并用治疗肝病的思维定式使然。仲景明文,不呕去半夏;加健脾的茯苓、白术,利胆的栀子、姜黄则是我的经验。若湿热缠绵,嘱原方再服两周。

经方溯源

《伤寒论》147 条:伤寒五六日,已发汗而复下之,胸胁满,微结,小便不利,渴而不呕,但头汗出,往来寒热,心烦者,此为未解也,柴胡桂枝干姜汤主之。

柴胡桂枝干姜汤方

柴胡半斤　桂枝三两,去皮　干姜二两　瓜蒌根四两　黄芩三两　牡蛎二两,熬　甘草二两,炙

上七味,以水一斗二升,煮取六升,去滓,再煎取三升,温服一升,日三服。初服微烦,复服汗出,便愈。

《伤寒论》223 条:若脉浮发热,渴欲饮水,小便不利者,猪苓汤主之。

猪苓汤方

猪苓去皮　茯苓　泽泻　阿胶　滑石碎各一两

上五味,以水四升,先煮四味,取二升,去滓,内下阿胶烊消,温

服七合，日三服。

《伤寒论》224条：阳明病，汗出多而渴者，不可与猪苓汤，以汗多胃中燥，猪苓汤复利其小便故也。

《伤寒论》319条：少阴病，下利六七日，咳而呕渴，心烦，不得眠者，猪苓汤主之。

《金匮要略·脏腑经络先后病脉证第一》：师曰：五脏病各有所得者愈，五脏病各有所恶，各随其所不喜者为病。病者素不应食，而反暴思之，必发热也。夫诸病在脏，欲攻之，当随其所得而攻之，如渴者，与猪苓汤。余皆仿此。

《金匮要略·消渴小便不利淋病脉证并治第十三》：若脉浮发热，渴欲饮水，小便不利者，猪苓汤主之。

在第四军医大学工作17年，我有两个成药应用于临床，分别是利水消肿胶囊和治疗乳腺癌的二贝母胶囊。我先来讲讲利水消肿胶囊。水肿作为中医内科的一个疾病，有很多证型，但是作为功能性水肿，在临床上怎么治疗是一个需要探索的课题。所谓功能性水肿，就是查不出器质性问题，但是水肿，尤其是以下肢肿为主。这种病在亚健康状态中非常常见，怎么治呢？我的基本观点是参考小柴胡汤通利三焦、疏通水道，结合五苓散化气行水的作用，再加上黄芪组成利水消肿胶囊。大约二十年前该药获得军队的院内制剂批号，在西京医院投入临床使用直至现在，使用疗效比较稳定，也无其他副作用发现，许多功能性水肿患者服用以后效果显著。我从事肿瘤专科以后，对于恶性胸、腹水等病证的治疗也常常推荐使用该药。

《伤寒论》71条:太阳病,发汗后,大汗出,胃中干,烦躁不得眠,欲得饮水者,少少与饮之,令胃气和则愈。若脉浮,小便不利,微热消渴者,与五苓散主之。

五苓散方

猪苓十八铢,去皮　泽泻一两六铢　白术十八铢　茯苓十八铢　桂枝半两,去皮

上五味为末,捣为散,以白饮和服方寸匕,日三服,多饮暖水,汗出愈,如法将息。

《伤寒论》72条:发汗已,脉浮数,烦渴者,五苓散主之。

《伤寒论》73条:伤寒,汗出而渴者,五苓散主之。不渴者,茯苓甘草汤主之。

《伤寒论》74条:中风发热,六七日不解而烦,有表里证,渴欲饮水,水入则吐者,名曰水逆。五苓散主之。

《伤寒论》141条:病在阳,应以汗解之,反以冷水潠之,若灌之,其热被劫不得去,弥更益烦,肉上粟起,意欲饮水,反不渴者,服文蛤散;若不差者,与五苓散。寒实结胸,无热证者,与三物小陷胸汤。白散亦可服。

《伤寒论》156条:本以下之,故心下痞,与泻心汤;痞不解,其人渴而口燥烦,小便不利者,五苓散主之。

《伤寒论》244条:太阳病,(寸)缓(关)浮(尺)弱,其人发热汗

出,复恶寒,不呕,但心下痞者,此以医下之也。如其不下者,患者不恶寒而渴,渴者,此转属阳明也。小便数者,大便必硬,不更衣十日,无所苦也。渴欲饮水,少少与之,但以法救之;渴者,宜五苓散。

《伤寒论》386条:霍乱,头痛发热,身疼痛,热多欲饮水者,五苓散主之,寒多不用水者,理中丸主之。

《金匮要略·痰饮咳嗽病脉证并治第十二》:假令瘦人脐下有悸,吐涎沫而癫眩,此水也,五苓散主之。

《金匮要略·消渴小便不利淋病脉证并治第十三》:脉浮,小便不利,微热消渴者,宜利小便、发汗,五苓散主之。

《金匮要略·消渴小便不利淋病脉证并治第十三》:渴欲饮水,水入则吐者,名曰水逆,五苓散主之。

当年在西京医院中医科门诊坐诊时我碰到一个这样的病例,患者产后尿失禁,用多种方法治疗效果不好。对这种疑难病症我常常采取反复寻找"战机",寻找辨证着眼点的方法进行诊治。在详细询问下,我发现患者大便干结、大便不通,这是值得重视的信息,也许通便就是解决小便问题的有效途径。因为张仲景在"三承气汤"条文中也说过:"小便数者,大便必硬",即可以用小便次数来判断是不是有燥屎,这也是能否确诊的指标。该病例中小便数不仅仅只是多的问题,它和尿失禁也许有联系,因为大便和小便神经传导线路差不多,有可能是因为大便的刺激,致使信号误传到掌管膀胱括约肌的地方,造成了尿失禁。后治疗选用麻子仁丸取得了非常显著的效果。我在1992年曾将这个病例写成医案发表了文章(论文被收入姜建国主编的国家"十一五"规划教材《伤寒论》中;陈明、张印生主编的《伤寒名医验案精选》也收录了这个医案)。

《伤寒论》247条:趺阳脉浮而涩,浮则胃气强,涩则小便数,浮涩相搏,大便则硬,其脾为约,麻子仁丸主之。

麻子仁丸方

麻子仁二升　芍药半斤　枳实半斤,炙　大黄一斤,去皮　厚朴一尺,炙,去皮　杏仁一升,去皮尖,熬,别作脂

上六味,为末,炼蜜为丸,桐子大,饮服十丸,日二服,渐加,以知为度。

《金匮要略·五脏风寒积聚病脉证并治第十一》:趺阳脉浮而涩,浮则胃气强,涩则小便数,浮涩相搏,大便则硬,其脾为约,麻子仁丸主之。

行医以来,我自认为对中医内科做出的贡献,就是提出了结肠曲综合征的中医诊疗思路。患者常常以胁下胀痛或胁下胀满为主诉来看病,但是很多中医不等号脉就判断为肝气郁结、情绪不畅,用四逆散、逍遥散之类的药物来治疗。经过多年的观察,我发现一般情况下胸胁胀满、胸胁胀痛才是四逆散、逍遥散证,而胁下胀痛是西医的"结肠曲综合征",因为结肠肝区、结肠脾区的结肠要拐弯,所以就容易引发炎症,但是因为结肠管道比较粗,不容易像阑尾那样堵得明显,所以就常常出现胁下胀痛或者胀满的表现。阑尾炎是因为阑尾太细了,症状比较剧烈,而"结肠曲综合

征"症状较不明显,胀、痛的症状患者也说不清楚,常常被大家忽略。西医也发现 25% 的"结肠曲综合征"中有阑尾压痛,或者说当你压结肠肝区或结肠脾区的时候阑尾也会有疼痛,这就是我们辨证的要点。这个病其实就是大黄牡丹皮汤证,大黄牡丹皮汤直接通腹、清肠,效果非常快,也非常好。如果用理气疏肝的药,似乎也有效,但是却治不了病,因为这两种病不是同一经的病。当年我还发表了文章专门讲解这个问题。随着阅历的增加,我逐渐发现"结肠曲综合征"已经不只是大黄牡丹皮汤证了,至少有十分之一的病例是薏苡附子败酱散证,也就是说该病中由湿热导致肠道壅结、腑气不通占十之八九,而寒湿或者湿热与寒热并见占十之一二。具体的表现除了症状上有矛盾(说热又像有寒,说寒又像有热)以外,还有就是舌苔白厚黏腻,大便或溏或硬,或者是硬中有稀,稀中有硬,或腹泻与便秘交替出现,这也是本病的辨证要点。

经方溯源

《金匮要略·疮痈肠痈浸淫病脉证并治第十八》:肠痈之为病,其身甲错,腹皮急,按之濡,如肿状,腹无积聚,身无热,脉数,此为腹内有痈脓,薏苡附子败酱散主之。

薏苡附子败酱散方

薏苡六十分　附子二分　败酱五分
上三味,杵末,取方寸匕,以水二升,煎减半,顿服。(小便当下)

《金匮要略·疮痈肠痈浸淫病脉证并治第十八》：肠痈者，少腹肿痞，按之即痛，如淋，小便自调，时时发热，自汗出，复恶寒。其脉迟紧者，脓未成，可下之，当有血。脉洪数者，脓已成，不可下也。大黄牡丹汤主之。

大黄牡丹汤方

大黄四两　牡丹皮一两　桃仁五十个　瓜子半升　芒硝三合

上五味，以水六升，煮取一升，去滓，内芒硝，再煎沸，顿服之，有脓当下；如无脓，当下血。

面部痤疮是让人们尤其是年轻朋友非常苦恼的一个问题。记得王欢上大学期间，她的一个同学就因面部痤疮、手脚冰冷来找我诊治。我看诊后对王欢说："把《伤寒论》打开，第 350 条，伤寒脉滑而厥者，里有热，白虎汤主之。"阳明病，面和色赤，面赤就是阳明经证的表现，何况阳明经行面部，所以它也常见于年轻人。我认为这个患者就是阳明经热盛的表现，尤其她又有手脚冰冷，也是热邪不能外达的表现，用白虎汤治疗效果最好。我用这个方子不但治好了王欢的同学，还治好了很多人，甚至有时候患者直接来找王欢看诊，王欢总是很谦虚地指一指在跟前的我说："师傅在这里呢"，令我很有成就感。这个方法的疗效是肯定的，但在用的时候，我常常加白芷 12 克，连翘 20 克。有脓头者加紫草、野菊花、金银花；有瘢痕者加丹参、赤芍，这也是我讲的白虎汤的新用。

经方溯源

《伤寒论》176 条：伤寒脉浮滑，此以表有热，里有寒，白虎汤主之。

白虎汤方

知母六两　石膏一斤，碎　甘草二两　粳米六合

上四味，以水一斗，煮米熟，汤成，去滓，温服一升，日三服。

《伤寒论》219 条：三阳合病，腹满身重，难以转侧，口不仁而面垢，谵语遗尿。发汗则谵语，下之则额上生汗，手足逆冷。若自汗出者，白虎汤主之。

《伤寒论》350 条：伤寒脉滑而厥者，里有热也，白虎汤主之。

《四川中医》编辑部邬宏嘉医师认为，《伤寒论》176 条"伤寒脉浮滑，此以表有热，里有寒，白虎汤主之"是素体阳虚之人患白虎汤证，所以说"表有热，里有寒"。邬医师说这是他从给爱人看病中受到的启发。《伤寒论》来源于实践且如实描写了真知。邬医师从实践出发，直接揭开了真相。他之所以能顿悟，不一定是他实践了很多，而是他能带着问题学习，善于思考罢了。

记得大约 15 年前，我到渭南出诊，伯父表弟的女婿得了哮喘，已经住院 15 天，其间三次院内会诊治疗效果都不尽如人意，三次抬到救护车上转院都没有走成，担心病情紧急撑不到西安。在这种情况下，患者家属恳请我伯父到渭南把我接回去帮忙诊治。当时我 40 岁

不到,面对患者这种状况,出诊对我来说也是一个考验。我去了以后得知医院的内科主任也是改革开放后第一届考上大学的。我说:"你是学长,应该听你的。"他很客气地说:"你的经验丰富、名气大。"我看了患者三次会诊的病历,从最初开始按热哮证治疗用越婢加半夏汤,一直没有改过方子,也没有人对其提出异议。患者面色晦暗,大汗淋漓,情绪烦躁,气短不足以息,唇红,舌质红,舌苔花剥,脉弦数。我说:"热哮是对的,但患者肝火犯肺,要用黛蛤散,在上气不接下气、几乎阴阳离绝、肾不纳气的情况下不用人参蛤蚧散是不行的,何况患者本来就是哮喘,这就是射干麻黄汤证。"我给出的方子是黛蛤散、人参蛤蚧散、射干麻黄汤三方合用。我记得非常清楚,方中小麦用了 60 克,为什么? 因为小麦可养心除烦。在这种濒临死亡的情况下,患者性情非常急躁、恐惧,用小麦才能发挥作用。回到西安的第二天,患者家属就打来了电话,说患者吃了药当晚就见效了,后方子没有变,继续服用 7 天患者就出院了。这个患者是个 27 岁的小伙子,家离我老家的村子只有 1.5 千米,所以为我在附近建立患者群发挥了重要的作用。这个小伙子现在仍健在,后来也没有再出现过类似问题。

还有一个病例,前几年一个远房亲戚找到我,见了面后她滔滔不绝地讲述她的患病治疗过程,用了近两个小时。她说完后我问她:"你得了什么病",她回答哮喘,我说:"你说你是哮喘,怎么就叫哮喘?"她说:"我就是哮喘",我说:"正因为你说你是哮喘,医生就给你开治喘的药,所以治不好。你自己觉得气短,这是短气啊,《金匮要略》上就有胸痹心痛短气病,你其实是短气病,为什么硬说是哮喘呢",我又说:"王欢,你把《金匮要略》打开,上面就有'胸痹,胸中气塞,短气,茯苓杏仁甘草汤主之,橘枳姜汤亦主之。'"实际上,张仲景认为上焦肺气不宣可用茯苓杏仁甘草汤,中焦胃气不宣可用橘枳姜汤,这个患者的短气我们很难判定是上焦还是中焦,不管哪一种加起来只有五味药,直接把这两个方子合在一起,服用六剂即可。第二个月我回来后,她又来了,我问:"怎么样?"她答:"吃那六剂药就没事了。"我问:"没事你找我干什么?"她问我医生之前给她开的那些进口的止喘药怎么办?我笑说:"这是我管的吗?这又不是我让你买的。"这是开玩笑的话。也因为受这个病例启发,在柳州,一直到最近,我还用同样方法治疗了不少类似病例。张仲景讲过:"平人无寒热,短气不足以息者,实也。"我认为短气病就是介于疾病和健康之间的一种亚健康状态,我也有相关文章发表在《陕西中医药大学学报》上。我的这些经验还是好学好用的,王欢在2019年西安市中医医院首届病历演讲中以她治疗短气病的病例最终获奖,成为最终六名胜出者之一。

经方溯源

《金匮要略·胸痹心痛短气病脉证并治第九》:胸痹,胸中气塞,短气,茯苓杏仁甘草汤主之,橘枳姜汤亦主之。

茯苓杏仁甘草汤方

茯苓三两　杏仁五十个　甘草一两

上三味,以水一斗,煮取五升,温服一升,日三服(不瘥,更服)。

橘枳姜汤方

橘皮一斤　枳实三两　生姜半斤

上三味,以水五升,煮取二升,分温再服。

讲一个用在我母亲身上的成方，也是其后得到反复验证的方子——加味瓜蒌薤白半夏汤。治疗冠心病，张仲景的瓜蒌薤白半夏汤非常知名，但自20世纪80年代活血化瘀理念开始风靡全国，直至现在，我们似乎觉得瓜蒌薤白半夏汤的疗效不够，对其重视程度也就不够了。我在原第四军医大学工作的十几年间，我母亲还健在，她的高血压、冠心病基本上都是我通过用中药治疗的，没有用过西医方法。感觉不舒服了就吃我开的成方，一直没有去过医院。我到柳州以后，正好有一年春节没回去，结果家里打电话，说我母亲心脏病犯得很重，可能与长时间没吃我开的方子有关。我听闻后赶紧让家人把母亲送到县医院，住院以后我把方子发过去，让母亲先把中药吃上，其余的让医生处理。结果三天以后我母亲就出院了。主管医生也惊叹于我母亲心电图的变化怎么这么快。实际上他们不知道是因为吃了中药的原因。前几年，我舅舅在县医院住院，也是心脏病，叫我回去给看看，见到我后他说："十二年前你给我开了个方子，我的冠心病十二年都没犯，现在犯了，我看还是要吃你开的药。"我把药开了后就到柳州去了。结果他家里人说住院吃中药不方便，就没有吃。第二个月，表哥又打电话了，说舅舅的冠心病还未见好转，心绞痛一天犯几次，医院让到西安去做支架。但是我表弟经过了解认为支架不能放，好多人放了后一两年又出现问题，又问我该怎么办。我问："中药呢？"他说："没有吃，因为住院不方便。"我说："可以代煎啊。"结果舅舅马上开始吃我开的中药，吃上药后三天就出院了。为什么能取得这样的效果？事实上，我不仅用了瓜蒌薤白半夏汤，还在瓜蒌薤白半夏汤基础上加了生脉散、冠心二号，三方合方，以瓜蒌薤白半夏汤为主。我认为冠心病尤其是难治的冠心病，病机复杂，不仅有痰浊瘀阻、心阳不振，还有心的气阴两虚存在，所以合生脉散，其中党参、麦冬、五味子这三味药非常重要,以及冠心二号,包括赤芍、川芎、红花、降香、丹参。另外,2004 年左右,我一个同学的母亲在西安市中心医院住院,一直到凌晨三点解不出小便,他母亲想到我,要让我治。为什么想到我?因为他家里好几个人生病都是我治好的。我看了患者的症状后,认为凌晨尿不下,是肾阳虚,肾气功能差,肾主二便的功能失司所致,是金匮肾气丸证。更主要的是患者年高体弱,形体肥胖,胸阳不振,气阴两虚,瘀血痹阻。我便在上面说的那三个方子的基础上合八味肾气丸进行治疗,果然取得了明显的疗效,没过几天患者就出院了。上述这个病案被中医书友会编入《中医报母亲》一文,在 2016 年母亲节刊出,至今已有 7.3 万的阅读量。

我于 2019 年 8 月 13 日回乡参加母亲 85 大寿时,得到了曹天兴老先生的巨著——《裕顺东纪事》。书中,曹先生以当事人——裕顺东总经理的身份,详细叙述了我义诊的过程。文中记录了我二十年的人生岁月,勾起了我的回忆,也给我带来了意外惊喜。书中第一段话说的是请我回乡义诊的来由"1999 年 6 月,几位合阳乡党从西安看病回来,到裕顺东药店抓药时碰见我,在闲聊中,他们异口同声地称赞,'王三虎教授在西安看病很有名,医术好,没有一点架子,尤其是对合阳老乡特别好。'"书中还展示了我当时给他开的病历处方,巧的是,也是冠心病。

当时我有感而发写了一篇散文《家乡父老记得我》,在"王三虎"公众号上发表。陕西医疗自媒体联盟编者按:王三虎教授的家乡合阳县新出的县志以及《裕顺东纪事》记载了他 2000 年回乡义诊的事迹。作者由此感慨"家乡父老记得我"。

《金匮要略·胸痹心痛短气病脉证并治第九》：胸痹不得卧，心痛彻背者，瓜蒌薤白半夏汤主之。

瓜蒌薤白半夏汤方

瓜蒌实一枚，捣　　薤白三两　　半夏半斤　　白酒一斗

上四味，同煮，取四升，温服一升，日三服。

2016 年以来，我在研究"风邪入里成瘤说"的过程中，发现花椒有良好的祛风止痛作用。一通百通，我也对乌头赤石脂丸的"心痛彻背、背痛彻心"这一条有了新的认识。首先，心痛彻背、背痛彻心，是在强调病位不定，这不就是风邪在胸走窜不定的特有指征嘛！所以，花椒的祛风止痛作用也是必用的。我一个学生患胸痹，我在他原先治疗方子的基础上加了花椒 12 克治疗，取得显著疗效。后来我还发现，赤石脂是敛散并用的，既养心气、敛正气，又散邪气，不要被赤石脂禹余粮汤的止泻作用所限定。《神农本草经》："青石、赤石、黄石、白石、黑石脂等，味甘，平。主治黄疸、泄利、肠澼脓血、阴蚀、下血赤白、邪气痈肿、疽痔恶疮、头疡、疥瘙。久服补髓、益气、肥健、不饥、轻身、延年。五石脂各随五色补五藏。"《名医别录》："赤石脂，味甘酸辛，大温，无毒。主养心气，明目，益精。治腹痛，泄澼，下痢赤白，小便利及痈疽疮痔，女子崩中漏下，产难，胞衣不出。久服补髓，好颜色，益智，不饥，轻身，延年。"从中就可看出端倪。我们研究经方，要从药物入手，而对于药物的功效则要从

《神农本草经》《名医别录》《千金方》《外台秘要》中找答案,不能从清代以后尤其是现代教材上找答案。因为张仲景生活的时代就是《神农本草经》盛行的时期。张仲景《伤寒杂病论》原序中的《胎胪药录》是不是《神农本草经》并不重要,重要的是这些内容就是当时中医中药的基本知识。就像现在的《中药学》教材,不管哪个大学,哪个教授主编,内容都是大同小异。《名医别录》次之,《千金方》《外台秘要》的问世离张仲景还不太远,更有相通性。这个观点基本上就是清代医家邹澍的,所以他的《本经证疏》很有成就,可以说是"前无古人,后无来者"的(至少现在可以这样说)。

经方溯源

《金匮要略·胸痹心痛短气病脉证并治第九》:心痛彻背,背痛彻心,乌头赤石脂丸主之。

乌头赤石脂丸方

蜀椒一两,一法二分 乌头一分,炮 附子半两,炮,一法一分 干姜一两,一法一分 赤石脂一两,一法二分

上五味,末之,蜜丸如梧子大,先食服一丸,日三服(不知,稍加服)。

接着我来说"胸痹缓急者,薏苡附子散主之"这一条,古今注家对这一条要么一言带过,似通不通,要么顾左右而言他,不得要领。我认为,胸痹包括冠心病、心绞痛但不限于这些病。临床发现,许多患者受风邪、寒湿,导致胸部抽掣拘急,颇感不适,甚至莫可名

状。张仲景用薏苡附子散就是缓解胸部肌肉痉挛不适的。薏苡仁是主药，附子量小散通经络，引药直达病所，散者，散邪气也。

经方溯源

《金匮要略·胸痹心痛短气病脉证并治第九》：胸痹缓急者，薏苡附子散主之。

薏苡附子散方

薏苡仁十五两　大附子十枚，炮
上二味，杵为散，服方寸匕，日三服。

麻子仁丸作为习惯性便秘的一个常用方剂，疗效却并不十分令人满意，所以便秘，尤其是习惯性便秘仍然是我们临床上非常棘手的一个问题。大家都知道，麻子仁丸证，胃强脾弱，脾不能为胃行其津液。所以，我觉得麻子仁丸治疗效果不佳的原因在于方中对胃强的干涉太少，除了大黄直接通便以外，没有泻胃的药，所以近年来我使用麻子仁丸时，必须加生石膏 40～50 克，直接泻胃火，因为胃火才是便秘的重要原因。很多人很难理解胃火怎么使大便秘结，认为其应该是大肠导致的，其实手阳明大肠经、足阳明胃经都属于阳明经，石膏泻胃火可直接通便。当然张仲景《伤寒论》承气汤条文中也讲到了"胃中必有燥屎五六枚"，显然不是说胃中的燥屎，但是从这句话中我们看出胃与大肠同属阳明是多么重要。除过在麻子仁丸中加生石膏是对经方的少许发展以外，我还要提醒大家麻子仁丸中白芍的重要意义。如果按照正常的理解，白芍与通便无关，但其实白芍是非常好的通便药。首先，白芍是利小便的药，小青龙汤、真武汤都有白芍；其次，白芍通大便是有根据的，《伤寒论》280条："太阴为病，脉弱，其人续自便利，设当行大黄、白芍者，宜减之，以其人胃气弱，易动故也。"也就是说，太阴病用药易拉肚子，这时候用大黄、芍药的话宜减量。试想，在容易引起腹泻的问题上，把芍药和大黄相提并论，难道不是非常明确地说明它有通便作用吗？所以当我们因大便秘结问题而苦恼的时候，白芍，尤其是白芍和甘草配伍，能起到"增水行舟"的作用，以减少大黄的用量和副作用。

前面我讲的冠心病用瓜蒌薤白半夏汤、生脉散、冠心二号，既通心阳又养心阴，还能活血化瘀，是比较复杂的配伍。实际上，慢性病尤其是冠心病病机本身就复杂，我们在治疗慢性病、疑难病的时候，不要把问题看得太过简单。当我们化痰的时候，一定要防止伤阴；当我们攻邪的时候，一定要防止伤正；当我们以活血化瘀为主的时候，要考虑到病机有痰瘀互结的可能。初学者用对症的方子可能取得很好的效果，但就整个病程来看，要在病情的不同阶段都能取得好的效果，就要有比较复杂的思维方式。这就是辨病中辨病情、病程的意义了，不是辨证能代替的。

桂枝汤作为《伤寒论》的第一个方剂，滋阴和阳，调和营卫，解肌祛风，历代医家给予了非常高的评价。对于虚人感冒，热象不明显、自汗者就可以用桂枝汤。但是，直接用原方的人很少。我在第四军医大学工作时，我们教研室有个教授的夫人是实验室工作人员，她一闻到刺激性气味就咳嗽，多年来一直解决不了。我考虑到她有自汗，且热象不明显，治疗使用桂枝加厚朴杏子汤，药味很少，量也不大。她服用几剂药后这个问题就解决了。张仲景提到过"喘家作，桂枝汤加厚朴杏子佳"，并不是只有喘才能用，需要我们根据病症活学活用。我上中专的同学有次打电话说他的妹妹患红斑狼疮3年,在三甲医院治疗效果非常不好,让我帮忙诊治。我通过网上视频的方式对她进行的面诊,她的症状非常复杂,因为是视频,没有脉象,也很难把握。在这种情况下,我以执简驭繁的方式用桂枝汤调和营卫、滋阴和阳,其他什么都不用,这样我也好有所观察。结果最常见的桂枝汤疗效却非常明显,通过使用桂枝汤逐步治愈了患者很多问题,我告诉患者不要急于求成,不要过多地追究某个小症状的改善,要从整体上看体质改善了没有,症状减少了没有。把握全局,对复杂疾病而言,就是把握主次,非常重要。

经方溯源

《伤寒论》12 条:太阳中风,阳浮而阴弱。阳浮者,热自发;阴弱者,汗自出。啬啬恶寒,淅淅恶风,翕翕发热,鼻鸣干呕者,桂枝汤主之。

桂枝汤方

桂枝三两,去皮　芍药三两　甘草二两,炙　生姜三两,切大枣十二枚,擘

上五味,㕮咀。以水七升,微火煮取三升,去滓,适寒温,服一升。服已须臾,啜热稀粥一升余,以助药力,温覆令一时许,遍身,微似有汗者益佳,不可令如水流漓,病必不除。若一服汗出病差,停后服,不必尽剂;若不汗,更服,依前法;又不汗,后服小促役其间,半日许,令三服尽;若病重者,一日一夜服,周时观之。服一剂

尽,病证犹在者,更作服;若汗不出者,乃服至二三剂。禁生冷、黏滑、肉面、五辛、酒酪、臭恶等物。

《伤寒论》13 条:太阳病,头痛发热,汗出恶风者,桂枝汤主之。

《伤寒论》15 条:太阳病,下之后,其气上冲者,可与桂枝汤。方用前法。若不上冲者,不可与之。

《伤寒论》16 条:太阳病三日,已发汗,若吐,若下,若温针,仍不解者,此为坏病,桂枝不中与之也。观其脉证,知犯何逆,随证治之。桂枝本为解肌,若其人脉浮紧,发热汗不出者,不可与之也。常须识此,勿令误也。

《伤寒论》17 条:若酒客病,不可与桂枝汤,得之则呕,以酒客不喜甘故也。

《伤寒论》19 条:凡服桂枝汤吐者,其后必吐脓血也。

《伤寒论》24 条:太阳病,初服桂枝汤,反烦不解者,先刺风池、风府,却与桂枝汤则愈。

《伤寒论》25 条:服桂枝汤,大汗出,脉洪大者,与桂枝汤,如前法,若形似疟,一日再发者,汗出必解,宜桂枝二麻黄一汤。

《伤寒论》26 条:服桂枝汤,大汗出后,大烦渴不解,脉洪大者,白虎加人参汤主之。

《伤寒论》29 条:伤寒,脉浮,自汗出,小便数,心烦,微恶寒,脚挛急。反与桂枝汤,欲攻其表,此误也。得之便厥,咽中干,烦躁吐逆者,作甘草干姜汤与之。以复其阳。若厥愈足温者,更作芍药甘草汤与之。其脚即伸。若胃气不和,谵语者,少与调胃承气汤,若重发汗,复加烧针者,四逆汤主之。

《伤寒论》42 条:太阳病,外证未解,脉浮弱者,当以汗解,宜桂枝汤。

《伤寒论》44条：太阳病，外证未解，不可下也。下之为逆。欲解外者，宜桂枝汤。

《伤寒论》45条：太阳病，先发汗，不解，而复下之，脉浮者不愈，浮为在外，而反下之，故令不愈。今脉浮，故知在外，当须解外则愈，宜桂枝汤。

《伤寒论》53条：病常自汗出者，此为荣气和。荣气和者，外不谐，以卫气不共荣气谐和故尔。以荣行脉中，卫行脉外，复发其汗，荣卫和则愈，宜桂枝汤。

《伤寒论》54条：患者藏无他病，时发热、自汗出而不愈者，此卫气不和也，先其时发汗则愈，宜桂枝汤。

《伤寒论》56条：伤寒，不大便六七日，头痛有热者，与承气汤，其小便清者，知不在里，仍在表也，当须发汗；若头痛者，必衄，宜桂枝汤。

《伤寒论》57条：伤寒发汗，已解。半日许复烦，脉浮数者，可更发汗，宜桂枝汤。

《伤寒论》63条：发汗后，喘家不可更行桂枝汤。汗出而喘，无大热者，可与麻黄杏仁甘草石膏汤。

《伤寒论》91条：伤寒，医下之，续得下利清谷不止，身疼痛者，急当救里。后身疼痛，清便自调者，急当救表。救里，宜四逆汤；救表，宜桂枝汤。

《伤寒论》95条：太阳病，发热汗出者，此为荣弱卫强，故使汗出，欲救邪风者，宜桂枝汤。

《伤寒论》162条：下后，不可更行桂枝汤；若汗出而喘，无大热者，可与麻黄杏仁甘草石膏汤。

《伤寒论》164条：伤寒大下后，复发汗，心下痞，恶寒者，表未解也。不可攻痞，当先解表，表解乃可攻痞。解表，宜桂枝汤，攻痞，宜大黄黄连泻心汤。

《伤寒论》234 条:阳明病,脉迟,汗出多,微恶寒者,表未解也,可发汗,宜桂枝汤。

《伤寒论》240 条:患者烦热,汗出则解,又如疟状,日晡所发热者,属阳明也。脉实者,宜下之;脉浮虚者,宜发汗。下之,与大承气汤,发汗,宜桂枝汤。

《伤寒论》276 条:太阴病,脉浮者,可发汗,宜桂枝汤。

《伤寒论》372 条:下利腹胀满,身体疼痛者,先温其里,乃攻其表。温里,宜四逆汤;攻表,宜桂枝汤。

《伤寒论》387 条:吐利止而身痛不休者,当消息和解其外,宜桂枝汤小和之。

《金匮要略·呕吐哕下利病脉证治第十七》:下利,腹胀满,身体疼痛者,先温其里,乃攻其表。温里宜四逆汤,攻表宜桂枝汤。

《金匮要略·妇人妊娠病脉证并治第二十二》师曰:妇人得平脉,阴脉小弱,其人渴,不能食,无寒热,名妊娠,桂枝汤主之。于法六十日当有此证,设有医治逆者,却一月加吐下者,则绝之。

《金匮要略·产后病脉证治第二十二》:产后风,续之数十日不解,头微痛,恶寒,时时有热,心下闷,干呕汗出,虽久,阳旦证续在耳,可与阳旦汤。即桂枝汤。

张仲景在他的书中不仅把桂枝汤作为第一条讲解病机(还有小柴胡汤等少数条文享受此等待遇),另外还有 29 条提到该方,加起来共 30 条涉及桂枝汤,可见桂枝汤的地位很重要。这就是所谓"外证得之能解肌和营卫,内证得之能补虚调阴阳"的最好方剂。如果把张仲景的用药统计一下,排名前五位的分别是甘草(155)、桂枝(99)、生姜(90)、大枣(83)、芍药(69),刚好为桂枝汤的组成。

药好,方才好。有这样一个病例,合阳一妇女早孕呕吐同时患荨麻疹,不敢用药,痒得受不了,找我诊治。张仲景将桂枝汤作为妊娠第一方,所以我使用原方加黄芩(黄芩、白术为安胎之圣药,但吐忌白术,张仲景用白术的方极少呕吐,甚至还强调"不呕",如《伤寒论》174条"不呕"去桂枝加白术汤,理中丸"吐多者,去术")进行治疗,患者最后治愈,后用药进行巩固,未再复发。

2017年12月6日,我收到微信:"王教授,您好!我是柳州的一位乙肝患者覃某,2015年5月发病很严重时,是您治好了我。一直到现在,我还在吃您给开的中药。我现在又遇到一个问题,希望您能够帮忙诊治,现怀孕26周,不小心着凉感冒,引发鼻塞不通气。近一周晚上一直睡不好,因为怀孕,不敢乱吃药。因鼻塞不通气,用嘴巴呼吸,喉咙干、辣,有浓浓的痰,现在有点咳嗽。希望您能再次施予良方,非常感谢!"视其舌淡红,苔薄白,桂枝汤证也。处方:桂枝12克,白芍12克,生姜4片,大枣6个,甘草12克,黄芩12克,瓜蒌皮15克。3剂,每日一剂,水煎服。四天后晨起开机,微信曰:"王教授早上好!吃了3剂您开的汤药,我的病就好了。谢谢您!"桂枝汤是《金匮要略》妊娠病的首方。此患者症状与之相符,看舌无差,乃径直用之。黄芩是安胎之圣药,配合瓜蒌皮化渐变之痰热。

说到太阳病,还有一个方子叫葛根汤。《伤寒论》中讲到:"太阳病,项背强几几,无汗,恶风者,葛根汤主之。"太阳表实证有"项背强几几"的表现,大家可能觉得怎么念"jiji",不是念"chuchu"吗,讲到"几几"这两个字,因为古人写字的不准确,后人也不知道怎么念,就把它念成"chuchu",事实上是不准确的。因为张仲景是河南人,河南人在形容身体有些不适时会说"胀不几几""酸不几几",葛根汤证的"项背强几几"完全是当时的语言。我还曾用葛根汤治疗颈椎病，或者说取葛根汤之意治疗颈椎病。这还有个故事，2000 年左右，我刚学会计算机打字，有人给我的电脑安装了一个 3D CS 游戏，我觉得很好玩，有一段时间很痴迷，不亦乐乎。结果没过多长时间我就出现了颈椎病的症状，睡下不能起来，一起来就头晕，过一会就好，但是再躺下，就又头晕，体位性眩晕很明显，我开玩笑说看来吃不上新麦了，意思是说这个病真有点麻烦，性命堪忧啊！因为拍片子也没发现有什么问题，所以就想办法自己治疗。我首先想到的就是葛根汤。方中葛根是主要的缓解项部挛急、祛风散寒的药，因为这种症状往往与风寒入中，太阳经脉循行不利有关；其次，芍药、甘草加威灵仙缓解挛急，即解除软组织、肌肉的挛急，因为颈椎病往往是由软组织的拉力不平衡造成的。现在流行的治疗辅助方法是"吊"，通过牵拉使椎间盘得到恢复。我们用缓解挛急的这四味药使肌肉松解，可能要比"吊"高明些。同时我考虑到该病的病因中有椎间盘弹性差的原因，要不然为什么年轻人中得这种病的人少，到了四十岁以后就慢慢多了。我认为肝肾亏虚，筋骨的功能受到影响，表现在椎间盘就是筋骨弹性降低。这种筋骨失养、弹性差再伴随着软组织的痉挛、压力不均使椎间盘突出，压迫血管，影响血液运行，就出现了颈椎病头晕症状。补肾、壮骨、强筋用的是龟板、骨碎补，这两味主药用来增强和恢复椎间盘弹性，缓解软组织痉挛，同时我还加了赤芍、丹参，因为人到四十岁以后，血液变得黏稠，头晕也与血管受压迫、血行不畅有关系，所以在上述基础上加赤芍、丹参，偶尔也加天麻、半夏化痰祛风，有祛风活血、化痰、补肾壮骨的功效，这也是葛根汤的新发展，叫作新拟葛根汤。共 3 剂药，吃到第 3 剂的时候，我的头晕就好了，感觉经方没有白学！

新方亮相

本书中所列的自拟方不管是组方还是用药剂量都经过了多年临床实践检验。

新拟葛根汤方

组成：葛根 30 克，威灵仙 30 克，白芍 30 克，甘草 12 克，龟板 30 克，骨碎补 30 克，赤芍 15 克，丹参 12 克，天麻 12 克，防风 10 克，羌活 10 克，姜半夏 12 克。

功能：缓解拘挛，补肾壮骨，活血祛风，化痰。

主治：中老年颈椎病，以体位性眩晕、项肩强痛为主症。

方解：葛根缓解筋肉挛急为君药；威灵仙、白芍、甘草助之，为臣药；龟板、骨碎补补肾壮骨，赤芍、丹参活血，天麻、防风、羌活祛风，为佐药；姜半夏化痰为使，组成了适合中老年肾虚血瘀，外受风邪，兼夹痰浊，以体位性眩晕、项肩强痛为主症的颈椎病的主方。

歌诀：新拟葛根威灵仙，芍药甘草补龟板，赤芍丹参姜半夏，羌防天麻方不偏。

我在渭南中医学校上学时的班主任李老师也曾因颈椎病找我诊治。我便给他开了这个方子。一周以后李老师给我打电话说："王三虎，你这个方子太好了，我吃了以后感觉好多了。"我说："我集 30 年之所学为咱李老师开了一个方子，能不好吗？"这也是开玩笑的说法，但确实是这个方子非常有效，屡用不爽。自从《我的经方我的梦》网上讲演和书籍发行以后，许多同行使用该方都获得了成效。我在深圳的弟子梁海彬就用此方治愈了 3 例颈椎病患者。

经方溯源

《伤寒论》31 条：太阳病，项背强几几，无汗恶风，葛根汤主之。

葛根汤方

葛根四两　麻黄三两，去节　桂枝二两，去皮　芍药二两　生姜三两，切　甘草二两，炙　大枣十二枚，擘

上七味吹咀，以水一斗，先煮麻黄葛根，减二升，去沫，内诸药，煮取三升，去滓，温服一升，复取微似汗，不须啜粥，余如桂枝法将息及禁忌。

《伤寒论》32 条：太阳与阳明合病者，必自下利，葛根汤主之。

《金匮要略·痉湿暍病脉证治第二》：太阳病，无汗而小便反少，气上冲胸，口噤不得语，欲作刚痉，葛根汤主之。

中医辨病论治，被遗忘轻视久矣。柔痉一病，出自《金匮要略·痉湿暍病脉证治第二》："太阳病，发热无汗，反恶寒者，名曰刚痉。太阳病，发热汗出，而不恶寒，名曰柔痉。""太阳病，其证备，身体强，几几然，脉反沉迟，此为痉，瓜蒌桂枝汤主之。"关于此病有一个案例。深圳一患者眨眼、挤鼻子、口角抽动，头、手颤动 4 年余，曾按抽动症多方治疗无效。2017 年，她来西安万全堂就诊，我按柔痉论治，使用瓜蒌桂枝汤加味处方 70 余剂，症状好转。2018 年 1 月 13 日深圳市宝安区中医院再次面诊，患者口臭，项强痛连背，汗

少,额上黑,面黄,形体消瘦,口唇红而干。舌淡红,苔薄,脉沉细。病属柔痉,证系筋失所养,外寒内热,风火相煽,心神不宁。仍以瓜蒌桂枝汤养筋息风、调和营卫为基础,再合百合地黄汤加味:天花粉 30 克,桂枝 10 克,白芍 20 克,赤芍 20 克,炙甘草 10 克,甘草 10 克,葛根 40 克,龙骨 30 克,煅牡蛎 30 克,天麻 10 克,菊花 10 克,栀子 10 克,蒺藜 30 克,生石膏 30 克,生地黄 30 克,百合 30 克,当归 10 克。共 14 剂,每日一剂,水煎服。2018 年 3 月 19 日在深圳市宝安区中医院复诊,上方服用 28 剂,合前已逾百剂,病去十之八九。但其形瘦面黄,舌淡脉弱,营卫仍欠调和,又有脾土薄弱,血虚生风之像,继养筋风,调和营卫,又当培土息风,养血息风。处方:桂枝 10 克,白芍 20 克,炙甘草 10 克,葛根 30 克,天花粉 30 克,党参 10 克,白术 10 克,茯苓 10 克,当归 10 克,川芎 10 克,生地黄 20 克,防风 10 克,山药 10 克,菊花 30 克。14 剂,每日一剂,水煎服。2019 年春季,患者再次到深圳市宝安区中医院来诊,症状几乎消失,气血充盈,学习成绩也因身体好转而提升。本案例先使用瓜蒌桂枝汤取得初效,其后再合治疗百合病的主方百合地黄汤,也是病证特点所要求。清热也是息风的"高招",这从风引汤中的石膏,小续命汤中的黄芩就可看出端倪,要不然,风火相煽何时了?最后一诊,病未变,主方不变,但病程已非早期,略变思路,培土善后,养血肃敌,不亦乐乎。

经方溯源

《金匮要略·痉湿暍病脉证治第二》:太阳病,发热无汗,反恶寒者,名曰刚痉。太阳病,发热汗出,而不恶寒,名曰柔痉。

《金匮要略·痉湿暍病脉证治第二》:太阳病,其证备,身体强,几几然,脉反沉迟,此为痉,瓜蒌桂枝汤主之。

瓜蒌桂枝汤方

瓜蒌根二两　桂枝三两，去皮　芍药三两　甘草二两，炙　生姜三两，切　大枣十二枚，擘

上六味，以水九升，煮取三升。分温三服，取微汗。汗不出，食顷，啜热粥发之。

我最初在西京医院坐诊的时候才三十多岁，在方药的使用上也处在逐步摸索的阶段。有一个四十岁左右的女教师因头晕经常找我看病，我在治疗上始终不得要领，效果不明显。有一次我看到她舌体胖，这个主症让我想起张仲景的"心下有支饮，其人苦冒眩，泽泻汤主之"。为了验证是不是该证我直接用泽泻汤进行治疗，泽泻30克，白术12克。泽泻汤用了3剂以后，效果特别明显，这个患者后来出国，回来时还给我带了两盒国外产的咖啡以表感谢，这也是我今生最早喝到的咖啡，也算是经方带来的福利。其实泽泻汤还能用于治疗很多疾病，如脑瘤，我一般用温胆汤合泽泻汤进行治疗，可升清阳、降浊阴、化痰湿。值得一提的是，2007年5月，我博士毕业答辩的这一月，跟我的导师，原第四军医大学西京医院王宗仁教授上门诊，因为当时王老师咽喉做了一个小手术，说话不方便，就对患者和学生说："这是王教授，找他看。"实际上就是我顶他上门诊，旁边还有好多研究生跟着。当时来了一个上大学二年级的女性患者，我问她："哪里不舒服？"她回答："头木啊，头木了几年了，从上高中到现在，老治不好"。我问："头木是在哪种情况下加重，哪种情况下减轻？"她说："哈气的时候似乎有所减轻。""还有什么其他异常的吗？""有，我的鼻子有时候能闻到味道，有时候闻不

到。"这时我脑子里对病症就有了初步判断。同时,这个患者有明显的舌苔花剥,舌苔上有两块地方有厚厚的苔,其他地方没有苔。对于舌苔花剥,教材上给的解释是脾阴虚,这其实很不准确,如果说无苔的地方是脾阴虚,那么厚苔的地方呢,那不是痰湿吗?怎么能简单地说它是脾阴虚呢?我认为花剥苔就是燥湿相混的表现。在这个思想的指导下,我为了教学,先辨病。什么病呢?百合病和痰饮病。百合病实际上是心肺阴虚的表现,张仲景的条文中就有一句"饮食或有美时,或有不用闻食臭时",当时我对条文理解的不深,小女孩这么一说我反倒理解了,鼻子有时候能闻到东西,有时候闻不到,结合她的花剥苔,存在心肺阴虚的神经官能症。那么她的头木呢?她舌上有苔的地方呢?一方面体内有痰浊阻滞,清阳不升,浊阴不降,哈气则阳气略有上升故症状有所减轻;一方面阴液损伤,心神失养,有痰饮,痰浊阻滞,清阳不升,浊阴不降。辨病为百合病,痰饮病,辨证为心肺阴虚,痰饮阻滞,清阳不升,浊阴不降。那怎么治疗呢?百合病主方百合汤,百合 15 克,熟地黄 30 克,用于养心肺之阴;另加泽泻汤,泽泻 30 克,白术 12 克,可升清降浊治痰饮病,两两相对,滋阴与润燥并用。为了观察疗效,我不做加减,观察一星期后再判断。到了第二周,同样的时间,我正看诊的时候,这个女孩的母亲大声在走廊里说:"西京医院的教授水平就是高,四个药把我女儿几年的病治好了。"我开玩笑地说:"这是张仲景经方的魅力。"我们学经方固然重要,用经方也要灵活理解,抓住经方的辨病要点是关键。知其要者,一言而终,不知其要,流散无穷。

经方溯源

《金匮要略·痰饮咳嗽病脉证并治第十二》：问曰：夫饮有四，何谓也？师曰：有痰饮，有悬饮，有溢饮，有支饮。问曰：四饮何以为异？师曰：其人素盛今瘦，水走肠间，沥沥有声，谓之痰饮；饮后水流在胁下，咳唾引痛，谓之悬饮；饮水流行，归于四肢，当汗出而不汗出，身体疼痛重，谓之溢饮；咳逆倚息，短气不得卧，其形如肿，谓之支饮。

《金匮要略·痰饮咳嗽病脉证并治第十二》：心下有支饮，其人苦冒眩，泽泻汤主之。

泽泻汤方

泽泻五两　白术二两

上二味，以水二升，煮取一升，分温再服。

《金匮要略·痰饮咳嗽病脉证并治第十二》：论曰：百合病者，百脉一宗，悉致其病也。意欲食复不能食，常默默，欲卧不能卧，欲行不能行，饮食或有美时，或有不用闻食臭时，如寒无寒，如热无热，口苦，小便赤，诸药不能治，得药则剧吐利，如有神灵者，身形如和，其脉微数。

每溺时头痛者，六十日乃愈；若溺时头不痛，淅然者，四十日愈；若溺快然，但头眩者，二十日愈。其证或未病而预见，或病四五日而出，或病二十日，或一月微见者，各随证治之。百合病，不经吐、下、发汗，病形如初者，百合地黄汤主之。

百合地黄汤方

百合七枚,擘　　生地黄汁一升

上以水洗百合,渍一宿,当白沫出,出其水,更以泉水二升,煎取一升,去滓,内地黄汁,煎取一升五合,分温再服。中病,勿更取。大便当如漆。

经方只有在发展、活用中才能具备更强大的生命力,发挥出巨大的作用。张仲景在《金匮要略·消渴小便不利淋病脉证并治》中提到"小便不利,蒲灰散主之,滑石白鱼散、茯苓戎盐汤并主之",小便不利连用三个方子,从这一点讲,我们既要赞扬张仲景的言简意赅,更要客观地说,小便不利的病机太复杂,张仲景未必把所有问题都说得清楚,所以有很多情况下我们是以方测证的。蒲灰散是由蒲灰和滑石组成的,蒲灰其实就是蒲黄,用于治疗小便不利,张仲景的用量比较小,但具体用于治疗什么问题引起的小便不利他并没有说。到了唐代,孙思邈的《千金要方》对这个问题进行了解释,《千金要方·卷二十一》中提到"石淋之为病,茎中痛,尿不得卒出",也就是说,孙思邈已经把蒲黄滑石散用作治疗尿结石的处方,只是当时这个方剂没有名字。1986 年《陕西中医》中记录魏平孙老中医用它治疗尿路结石的时候起名叫蒲黄滑石散。我在 1998 年出版的《120 首千金方研究》中就用了蒲黄滑石散的名字,实际上还是张仲景的蒲灰散。有一个相关医案,现在读来有点意思。患者,陕西渭南人,于 1995 年 10 月 5 日找我看诊,以腰胁拘胀,以右侧为主为主诉,B 超提示:直径 0.6 cm 的光团,诊断为右输尿管结石嵌顿合并右肾积水,建议手术治疗。患者不愿意手术,找到我,这就为中医治疗提供了契机。当时视诊情况:形体壮盛,声高气粗,性格开朗,自诉腰胁胀疼,以右侧为主,小便不利,肾区叩痛明显,舌暗红,苔薄黄稍腻,脉沉弦。我辨病:石淋,输尿管结石嵌顿;辨证:水湿不行,瘀而化热生石,既则影响血行;治法:利水通淋,化石活血,清热解痉。治疗使用蒲黄滑石散:蒲黄 10 克,滑石 20 克,猪苓 15 克,金钱草 30 克,海金沙 12 克,鸡内金 12 克,胡桃仁 15 克,柴胡 10 克,黄芩 12 克,威灵仙 12 克,白芍 30 克,生甘草 10 克。三个月后患者专程来西安找我,说服药三剂后症状明显减轻,通体舒泰,因为一个亲戚在药房,觉得其中海金沙量小,改为 30 克,服方两剂,自觉服后不适,又用我的原方,以后结石消失,右肾功能恢复。该病例中用蒲黄滑石散,有小柴胡汤和芍药甘草汤之意,也提醒我们因为疾病是复杂的,经方应用中往往不只是单纯应用原方。我们学习张仲景的经方时有时候要"得意忘形",既要取其精神实质,又要不拘泥于原方。

经方溯源

《金匮要略·消渴小便不利淋病脉证并治第十三》:小便不利,蒲灰散主之;滑石白鱼散、茯苓戎盐汤并主之。

蒲灰散方

蒲灰七分　滑石三分

上二味,杵为散,饮服方寸匕,日三服。

滑石白鱼散方

滑石二分　乱发二分,烧　白鱼二分
上三味,杵为散,饮服方寸匕,日三服。

茯苓戎盐汤方

茯苓半斤　白术二两　戎盐弹丸大一枚
上三味,先将茯苓、白术煎成,入戎盐再煎,分温三服。

　　在柳州还有一个非常有意思的病例,一个十一二岁的女孩因为剧烈头痛找我复诊,因为患者太多我没有记住她,便重新看诊,诊断为小柴胡汤证,结果她妈妈懂些中医,说:"上次你开的药方是麻杏石甘汤,吃了后效果很好",所以,这次她坚决要用麻杏石甘汤,最后,我只能照她说的在小柴胡汤基础上把麻杏石甘汤加上,开了三付颗粒剂。结果第二天她就找到我说孩子头已经不疼了。我问她吃了多少药,结果她让孩子一天内把三天的药吃完了。麻杏石甘汤在张仲景本意里是没有治头痛的作用的,所以效果这么好很出乎意料。
　　《伤寒论》确实是一个宝库,比如"少阴病,二三日,心中烦,不得卧者,黄连阿胶汤主之"。黄连阿胶汤为什么放在少阴病篇,大家并不清楚,说少阴热化证,并不全面。既然是少阴病,热化、寒化只是一个问题的两个方面,更重要的是病入少阴,病情危重,这也是阴阳离绝的前提。在这种情况下,黄连阿胶汤非常有现实意义。按我的理解,这里的少阴病就是非常严重的意思,也就是住在重症监护病房的患者多半患少阴病,因为病情进入了危重阶段,其他病都隶属于少阴病,少阴病就成为矛盾的主要方面。我们想象,住在ICU病房的患者如果两三天晚上睡不着觉、心烦,还能活得下去吗?2004年5月1日我应邀到柳州市中医医院义诊,当时肿瘤科有一个台湾来的胰腺癌患者让我会诊。我看诊后觉得患者的其他问题不好说,但睡不着觉是个大问题,便开了黄连阿胶汤,结果6月份我第二次去的时候,这个老先生非常高兴地跟我说:"我吃了你的药第二天夜里就能睡着了"。所以这次问诊他说:"王教授的药我吃,因为能解决问题啊。"我之所以敢给重症患者、肿瘤患者开黄连阿胶汤方是有所依据的。我在原第四军医大学带的第一个研究生,考上研究生的时候已经本科毕业十年了,她当时是一个医院的副院长。有一天她跟我说:"王老师,我同学的母亲晚上睡不着觉,你给帮忙开个方子吧。"我当时开的就是黄连阿胶汤。结果过了几天她跟我说:"那个方子很有效。"我为什么要开黄连阿胶汤?因为在治疗失眠中酸枣仁汤一直大行其道,黄连阿胶汤常常被大家忽略,所以当用一般的方法解决不了的时候,我常用经方来应对。我认识一个三甲医院的中医科主任,是治疗失眠症的中医专家。有一次我到他那里去,正好有个老太太找他看病,因为跟他很熟,他说:"王教授你把这个病看一下,患者在我这看了很长时间效果不理想。"患者症见心烦失眠、舌红少苔,我说:"这就是黄连阿胶汤证。"主任说:"是不是有点凉啊?"我说:"有热就用凉药。"他说:"那你来开方吧。"等过段时间再见时,他说:"当时开的方子非常有效。"我使用这个方子治疗的患者数不少,其中令内行非常感兴趣的是它能治疗失眠,但是却没有常见的安神药。有些长期失眠的人吃了药第二天连上班时间都耽误了。为什么效果这么好?因为该方能够祛除心经的火,再者,我用黄连一般是12克左右,量是比较大的。

《伤寒论》303条：少阴病，得之二三日以上，心中烦，不得卧，黄连阿胶汤主之。

黄连阿胶汤方

黄连四两　　黄芩一两　　芍药二两　　鸡子黄二枚　　阿胶三两

上五味，以水五升，先煮三物，取二升，去滓，内胶烊尽，小冷，内鸡子黄，搅令相得，温服七合，日三服。

张仲景还有一个非常好的方子叫当归芍药散，原话是"妇人腹中诸疾痛，当归芍药散主之。"意思是妇人腹中多种疼痛如果没有明显指征不好分辨的话，那就用当归芍药散，所以在二十世纪八九十年代的中医杂志中有很多关于当归芍药散的文章，但是揭示其机制的比较少。为什么当归芍药散能治疗妇女多种腹痛呢？因为当归芍药散治疗的病机是血水互结，女子以血为先天，但水湿下注、血水互结、气机不畅，造成当归芍药散证，表现为腹部疼痛。本方用当归、芍药、川芎活血，白术、茯苓健脾利湿，看上去平淡，但考虑的比较全面，照顾到瘀血，也照顾到水停，恰到好处，所以应用起来非常方便。但该方究竟针对的是什么病？实际上应该是慢性盆腔炎，热像不明显，但是瘀血水湿同时存在，用这个方子治疗效果不错。

经方溯源

《金匮要略·妇人妊娠病脉证并治第二十》：妇人怀妊，腹中疞痛，当归芍药散主之。

当归芍药散方

当归三两　芍药一斤　茯苓四两　白术四两　泽泻半斤　川芎半斤，一作三两

上六味，杵为散，取方寸匕，酒和，日三服。

《金匮要略·妇人杂病脉证并治第二十二》：妇人腹中诸疾痛，当归芍药散主之。

我在 1993 年 8 月 13 日接诊过一患者，25 岁，大学毕业后工作两年，从上学期间一直到我接诊，这几年一直受疾病困扰。他描述病情：头、面、胸、胃有发烧感，头重，脐臀寒凉，腹痛 5 年，服用滋阴潜阳、引火归元功效的中药百余剂，丝毫无效，曾有一个老中医给他用附子、干姜竟各达 30 克，结果热增寒加，痛苦异常。在这种情况下他找到我。我视诊后发现，患者舌质偏红，苔中间黄，脉弦，是肾虚较重的表现，用热药后加重肾虚，属于上热下寒，寒热格拒，治疗用张仲景干姜芩连人参汤加通行督脉之药。组方：干姜 10 克，黄芩 12 克，黄连 10 克，党参 12 克，鹿角霜 12 克，甘草 10 克，4 剂，水煎服。患者用药后寒热均减，头目清爽，继用上方 5 剂获愈。张仲景在《伤寒论》358 条讲："伤寒本自寒下，医复吐下之，寒格，更

逆吐下；若食入口即吐，干姜黄芩黄连人参汤主之。"这个病例不完全和张仲景的条文相同，但热格于上，寒凝于下是成立的，所以取效较速。

《伤寒论》359条：伤寒本自寒下，医复吐下之，寒格，更逆吐下；若食入口即吐，干姜黄连黄芩人参汤主之。

干姜黄连黄芩人参汤方

干姜三两　黄连三两　黄芩三两　人参三两

上四味，以水六升，煮取二升，去滓，分温再服。

还有一个病例，我们医院一个患者发热，住院治疗 20 天，经全院会诊无较好的治疗方案，第二次会诊时我也参与了。患者发热恶寒、皮疹、颈部淋巴结肿大、关节肿大，最初川乌、草乌都用过，柴胡汤、桂枝汤、柴胡桂枝汤也用过，但效果均不好。我着重问了患者是否有口渴的情况，他爱人说："患者口渴，喝水量大。"患者口唇偏红、发干，我说："这是三阳合病，之所以之前治疗效果不好，是因为治疗太阳、少阳经的药已经用了，就是没有用治疗阳明经的药，所以应该柴胡汤、桂枝汤、白虎汤三方合用。"我又问："为什么没有用人参呢？"主管医生回答："之前没有用人参，用的是太子参。"我说："人参才是真正力挽狂澜、扶正祛邪的药，所以人参败毒散、白虎加人参汤就是治疗发热的，这时候用人参应该更合适。"我开的方子大致是：柴胡汤、桂枝汤，知母 12 克，石膏 80 克，山药 12 克，甘草 10 克。用药后第二天患者体温就有所下降，自我感觉很好。患者症状缓解了就证明方法用对了。"善治者治皮毛"，当我们把在体表的疾病治好了，就不至于产生深入骨髓的病了，某种意义上讲这就是截断扭转，在三阳阶段把疾病治好了它就不会继续向下发展了。我第二次开方时辨证为外邪未尽、痰毒郁结、病在膜原，治以扶正祛邪、化痰解毒、透邪外出。具体方子：生晒参 12 克，茯苓 12 克，甘草 15 克，枳壳 15 克，桔梗 12 克，柴胡 18 克，前胡 12 克，羌活 15 克，独活 12 克，川芎 12 克，薄荷 12 克，厚朴 15 克，草果 10 克，槟榔 12 克，夏枯草 15 克，浙贝母 15 克，白芷 12 克，葛根 18 克，桂枝 12 克，石膏 40 克。此方与荆防败毒散有相似之处。患者服用了这个方子以后，第二天烧就退了，皮疹、关节疼痛、口干等症状十去八九，继续服用 5 剂药巩固后，就出院了。

1990 年前后，我在第四军医大学西京医院中医科门诊碰到一个值得深思的病例。患者，女，18 岁，是当时西安火柴厂的工人，于 1992 年 12 月 10 日就诊，主诉是入口即吐 3 年，3 年前因为不明原因出现饮食入胃即吐，反复在各地大医院就诊，均以神经性呕吐诊治，先后住院四次，中药、西药都用过，效果一直不好。患者当时形瘦骨立，面容枯槁，肌肤甲错，神情淡漠，行走需人搀扶，饮食入胃即吐，口唇干，饥饿难忍，大便干结，5 至 6 日一解，舌稍红而干，苔薄，脉弱。这个女孩读过书，看病时间也长了，所以问诊时说得很清楚。我问："你胃里觉得热，那用过什么药治疗？"她说："大黄甘草汤有效，再用就不行了。"我说："既然是胃火，用大黄甘草汤不行，说明热只是一个方面，应该还有寒。"考虑到以吐为主，我用的是乌梅丸，"厥阴之为病，消渴，气上撞心，心中疼热，饥而不欲食，食则吐蛔，下之利不止。"就是这个"吐蛔"限定了我们的眼目，其实乌梅丸不仅仅是治久利的，也是治呕吐的，我在众多寒热并用的方子中选用它就有这个原因。当时的方子是这样：乌梅 12 克,细辛 6 克,肉桂 4 克,干姜 10 克,附子 8 克,川椒 10 克,黄连 12 克,黄柏 12 克,当归 12 克,党参 12 克,共 3 剂,每天 1 剂。患者吃药后自诉呕吐稍减,胃中饥饿,能吃一点东西了,大喜过望。效不更方,继续用前方 3 剂,以后每日可食饼干三两而不吐。但是患者胃中饥饿不止,仍不能进其他食物,舌红略减,脉弱,继续嘱其服用上方 6 剂,已经能进食少许蔬菜,服用更多的饼干仍不能止饥,又出现了烦躁。我认为这与患者之前亏空太多有关,嘱其进食稀粥、菜糜滋养肠胃,不可过量,同时我觉得患者的寒邪有所缓解,在上方中加了栀子 12 克,淡豆豉 12 克,麦冬 12 克,吃药以后患者就能逐步吃其他东西了,后来患者就再没有来就诊过。现在看来,这个女孩之所以后来没有再找我,与我当时年轻,治疗经验不足有关。对该患者的治疗,辨证是对的,但辨病有问题,因为辨病就牵扯到病程,有主要病机、疾病演化规律的问题,只是一个方子有效,但是并没有解决她的身体亏虚,及以后如何一步一步康复的问题。尽管当时用乌梅丸把困扰患者几年的呕吐治好我已经很高兴了,但是现在想来,我还缺少"步步为营"的战略眼光。虽然中医的辨证论治是长处,但我们仍不能丢掉辨病论治,这个教训是深刻的。

经方溯源

《伤寒论》338 条：厥阴之为病,消渴,气上撞心,心中疼热,饥而不欲食,食则吐蛔,下之利不止。

伤寒,脉微而厥,至七八日,肤冷,其人躁,无暂安时者,此为藏厥,非为蛔厥也。蛔厥者其人当吐蛔。令病者静,而复时烦,此为藏寒。蛔上入膈,故烦,须臾复止,得食而呕。又烦者,蛔闻食臭出,其人当自吐蛔。蛔厥者,乌梅丸主之。又主久利方。

乌梅丸方

乌梅三百枚　细辛六两　干姜十两　黄连十六两　当归四两
附子六两,炮,去皮　蜀椒四两,出汗　桂枝六两,去皮　人参六两
黄柏六两

上十味,异捣筛,合治之,以苦酒渍乌梅一宿,去核,蒸之五升米下,饭熟,捣成泥,和药令相得,内臼中,与蜜,杵二千下,丸如梧桐子大,先食饮,服十丸,日三服,稍加至二十丸。禁生冷、滑物、臭食等。

《金匮要略·趺蹶手指臂肿转筋阴狐疝蛔虫病脉证治第十九》:蛔厥者,乌梅丸主之。

我主张在辨病条件下辨证,这起源于一个病案。我在西京医院中医科门诊坐诊时,有一个老太太全身泛发银屑病,痒不可忍,故来就诊。我认为患者是血中热毒,治疗使用犀角地黄汤加味,服用后不久患者全身泛发的银屑病就缩小到小腿上鸡蛋大的一块皮损,但久久不愈,我也说不准该怎么治疗。但患者觉得我治疗的效果不错,特别相信我,希望我继续给她诊治。我在查阅治疗方法时,看到古人好多治疗相关症状的方中使用石榴皮、乌梅,就在想这是为什么,最后我想明白了。患者刚开始找我时经历着此病的泛发期、加重期、初中期,使用清热解毒、祛风止痒、活血凉血的药物把疾病控制以后,病情进入慢性期,只用解热毒的方法就不行

了,尽管这个时候她的热毒已经很少了,但患者还有皮损,一点热就可以使其泛发出来,所以疾病后期到收尾阶段应该用收敛的方法,因此古人的单方中才用到了石榴皮、乌梅。这其实就是辨病,古人的这个验方是治牛皮癣的,但是我们应该分析在哪个阶段、哪种条件下使用。这就是我有关辨病条件下辨证的最初启发。

[第三章　中年梦——发扬经方]

　　从事中医肿瘤临床工作为我发扬经方提供了前所未有的条件。发扬经方,体现在三个方面:第一个方面,由原来的一方一证变成在辨病条件下的经方应用;第二个方面,把单个的经方变成系列经方,逐步应用;第三个方面是在经方的基础上创制新方。这种机会的来临与张仲景的《伤寒论》有密切关系。

　　在1998年前后,我已经升了正教授,第四军医大学肿瘤研究所的负责人找到我,想让我从事肿瘤的中医诊疗工作。为什么会找到我?据负责人师建国教授讲是因为我能背《伤寒论》。师建国教授作为一名西医,对中医也非常了解,他看到要治疗有关肿瘤的问题,用一般中医的方法是不够的,只有打开经方这个宝库,用经方这个锐利的"武器"才可能取得更好的效果,所以他就破格用了我。当时,我40岁刚过,虽然经验、阅历都有了一定的积累,也具备了一定的发现问题、解决问题的能力,但由大内科加入肿瘤研究所,对我来说仍是一个挑战。当我用经方治疗常见病、多发病驾轻就熟的时候,突然面对肿瘤,我还真有点摸不着头脑,但是对我来说,只能用最熟悉的方法来解决新的问题。

　　我们教材上讲的肿瘤非常简单,但如何从一个大内科的中医转变成肿瘤科的医生,是我初期从事肿瘤临床工作所要面对的问题。我既有寒热并用的经方经验,也有学经方、活用经方、用经方解决问题的思路和方法。在这个过程中,我也发现了中医在治疗肿瘤过程中的一些弊端。真正意义上的中医治疗肿瘤也不过五六十年时间,前辈们为此付出了很多的心血,进行了多方面的探索。我们初期用以毒攻毒、破血活血、清热解毒的方法和理念治疗肿瘤取得了一定疗效,但效果并不令人满意,于是又很快上升到扶正健脾益气治疗肿瘤的阶段。自此之后,中医治疗肿瘤就进入了一个平台期,所以从一定意义上讲中医治疗始终处于辅助地位。这主要是我们对肿瘤本身缺乏深入的了解,受西医的影响较深。慢慢地我们知道不必非要跟着西医走,治疗肿瘤的方法是多种多样的,尤其是它的病机复杂,在治疗中我们要以复杂应对复杂。

用什么方法可以打开中医治疗癌症奥秘的大门?我的方法就是反复地求助古籍。在这种苦于寻找思路的过程中,经方再一次帮助了我。我首先是从治疗肺癌上找到契机的。肺癌是发病率、死亡率都比较高的恶性肿瘤,历代中医文献中把肺癌归纳为肺积、息贲、咳嗽、喘气、胸痛、痰饮等,但这种归纳法不具备真正意义上的辨病。另外,我发现中医内科教材四五十个病名中,只有肺痿没有和现代医学相对应,经过反复研究,我得出结论,肺痿就是肺癌。肺痿这个病名是张仲景在《金匮要略》中首先提出来的,我们已经从字面意思上接受了积聚与肿瘤的关系,但是却不大理解痿与肿瘤的关系,把肺部肿瘤叫作肺痿应该说是有其病理基础的,这可能与肿瘤沿支气管壁浸润生长造成广泛狭窄,引起肺不张,产生通气不良有关。我们很难想象张仲景当时是怎么了解肺痿的病例实质的,和现在通过 CT 检查发现的胸膜凹陷症几乎差不多。因为相比腹部肿瘤可以摸到、直肠肿瘤可以从症状解释,胸腔肿块是无法解释的,所以在《金匮要略·五脏风寒积聚病篇》有:"热在上焦者因咳为肺痿,热在中焦者则为坚,热在下焦者则尿血、亦令淋闭不通"。从病因病机的角度看也是非常有道理的。张仲景说:"肺痿之病,从何得之?"师曰:"或从汗出,或从呕吐,或从消渴,小便利数,或从便难,又被快药下利,重亡津液,故得之。"大家知道,吸烟是导致肺癌的一个重要原因,但是临床上经常发现吸烟的人没有得肺癌,不吸烟的人却得了,所以张仲景所说的肺痿从哪里得之,倒还真是揭示了一些被现代医学所忽略的问题。他归结为"重亡津液故得之",类似于我们所谓的阴虚、阴液亏虚,比如经常出汗、呕吐,或经常直接使用通下药,伤津液造成肺失濡润,易受邪侵。尤其是张仲景提到"或从消渴",也就是说早在一千八百年前,张仲景就发现消渴是造成肺癌的一个原因,就这点来说体现了有价值的前瞻性。糖尿病或者说胰岛素抵抗是恶性肿瘤形成或发病的相关因素,已经被现代医学所承认,现在看来糖尿病和肺癌是姊妹病。为什么糖尿病就能引起肺癌? 以我的观点看是因为两者都具有燥湿相混的病机,肺癌是因为重亡津液、阴液亏虚、肺失濡润造成的。糖尿病也是以阴虚为本,更为复杂的是糖尿病也好,肺癌也罢,阴虚的同时都伴有痰浊中阻或痰浊上犯,所以张仲景认识到消渴是造成肺癌的原因。我觉得这也是我们说肺癌是肺痿的一个佐证。从临床表现上来看,就更能说明问题,用张仲景的话来归纳是咳嗽、咽喉不利、浊唾涎沫、气急、喉中水鸡声,这都是肺痿的主要症状,是肺失宣降、气机逆上所致的。尤其是喉中水鸡声对应的射干麻黄汤证以往为大家所知晓,但是因为大家不知道肺痿是什么病,所以这个方子固然能用于治疗哮喘、咳嗽等常见病,但仍有买椟还珠致良药于无用武之地的偏颇之处。"喉中有水鸡声"西医是怎么描述的呢? 西医里肺癌患者以咳嗽为主要临床表现出现的占到患者总数的 54.7%,典型的咳嗽多为阵发性、刺激性呛咳,常有咳不尽的感觉,无痰或有少量白腻痰,甚至伴有气管鸣。"气管鸣"是西医的说法,"喉中有水鸡声"是张仲景的说法,前文中也讲过什么叫"喉中有水鸡声",水鸡就是青蛙,水鸡声就是青蛙叫,因为喉中有痰,通过气流的时候又冲不掉,所以有这种连续的声音。另外,气急、气短,张仲景称为"上气","上气"到底是什么?我的观点是"上气"就是"哮",没有痰鸣声音叫喘,有痰鸣声音叫哮,所以张仲景多次提到喘而从来没有提到哮,其实是用上气来代替哮的。哮喘、气短都是肺痿的常见症状,实际上也是肿瘤沿气管、支气管壁浸润生长造成广泛狭窄以至引发通气不良造成的,当然晚期淋巴结转移压迫大气管、弥漫性肺泡癌、胸腔积液、心包积液等使肺脏萎缩也可以引起气短。咯血或血痰是肺癌的常见症状,以咯血为主要表现的肺癌约占患者总数的 18.9%。我们经常说的千金苇茎汤就是治疗肺痿的补充方剂。张仲景虽然没有明确提出肺痿就有咯血或血痰,但是他将肺痿、肺痈并列提出,按照他省略互见的语言风格,咯血或血痰在肺痿中的出现是不言而喻的。肺痿有血无脓,肺痈有脓无血。明代医家王肯堂在《杂病证治准绳》中明确指出:"肺痿或咳沫,或咯血",这是明代医家对张仲景学说的继承和发展。肺癌的胸痛表现也是很常见的,张仲景在肺痿中明确提出:"咳则胸中隐隐痛,若咯则胸中隐隐痛,脉反滑数自为肺痈,咳唾脓血"。也就是说,在鉴别诊断中,因肺痿而胸痛时,脉不应该滑,如果脉滑就是肺痈,"脉反滑数"可以看出张仲景在这一章主要讲的是肺痿而不是肺痈。我们以往理解肺痈是肺脓肿,实际上临床并不多见,多见的类似于张仲景讲的肺痈,往往是肺癌伴有感染,这才是张仲景把肺痿、肺痈、咳嗽上气病并列提出的一个重要原因。当然,张仲景在脉象上还做了鉴别,"脉数虚者为肺痿,数实者为肺痈"。还有,肺癌常常伴有发热，大约以发热为第一症状出现的肺癌占总数的三分之一，张仲景说过"脉数虚者为肺痿"，也说过"数则为热"，这里可以看出肺痿是有发热的，张仲景的语言风格值得我们认真探讨。此外张仲景在肺痿中还描述过遗尿、小便数、必眩，从这些症状来看，与肺癌脑转移极其相似，所以我认为从临床症状分析，肺癌就是肺痿。

肺癌从肺痿论治有必要吗？有。因为肺痿是张仲景第一个提出来的重点病，他不仅有病名、病位、病因、病机、鉴别诊断、预后判断，更主要的是关于肺痿张仲景就提出了六个证型、六个代表方剂，这在中医辨病论治的理论体系中很少见。我们怎么能把张仲景的六病辨证、《金匮要略》上几十个病的辨病都丢掉而只说辨证论治呢？我们看看肺癌和肺痿的关系，看看张仲景是怎么在肺痿这个辨病的前提下辨证的，是怎么在肺痿的前提下应用经方的，就会豁然开朗。麦门冬汤是经方中的经典，历代医家用麦门冬汤的很多，对其赞不绝口的也很多，但用麦门冬汤治疗肺癌的病例却很少。张仲景对此方的描述非常简单："大逆上气，咽喉不利，止逆下气者，麦门冬汤主之。"此方有滋阴清肺，化痰降气之功，方中最出彩的对药是麦冬和半夏。我们平时讲麦门冬汤总讲其适应证为肺胃阴虚，那为什么要用半夏呢？以《金匮要略释义》(2 版)为例，其中有"半夏下气化痰，用量很轻，且与大剂清润之药配伍，既不嫌其燥"，也就是说它没有燥湿相混的概念，所以解释不了滋阴的麦门冬汤中为什么要用半夏这个燥湿药，干脆就说用量很轻。实际上麦门冬汤中张仲景用麦冬七升，用半夏一升，一升是用量很轻吗？恰恰相反。我们用以经解经的方法来看，张仲景用半夏的方中，量大的如大半夏汤中用二升，量小的如半夏泻心汤、小青龙汤、瓜蒌薤白半夏汤、射干麻黄汤、厚朴麻黄汤、泽漆汤、苓甘五味加姜辛半夏杏仁汤、附子粳米汤、温经汤等都用的是半升,中量的如小半夏汤、小半夏加茯苓汤、半夏厚朴汤,以及我们所讲的麦门冬汤都用的是一升,试问这里用一升的半夏何少之有?从临床实践来看,麦门冬汤理法精当,用药精炼,古人用它治疗肺痿已经是难能可贵了,但是从现代医学观点认为肺痿就是肺癌来看,虽然麦门冬汤的配伍固然有高妙之处,但从肺癌的实际需求来看还是不够的。所以,我取麦门冬汤之意,在其基础上拟定了自己的新方,叫海白冬合汤。经过多年应用,其中麦冬和百合常用 30 克,而穿山甲由于为国家保护动物,可以不用。

新方亮相

海白冬合汤方

组成:海浮石 30 克,麦冬 15 克,百合 12 克,白英 30 克,人参 10 克,生地黄 20 克,瓜蒌 15 克,半夏 12 克,玄参 12 克,鳖甲 20 克,穿山甲 10 克,灵芝 10 克,煅牡蛎 15 克,炙甘草 10 克。

功能:化痰散结,益气养阴。

主治:痰浊泛肺、气阴两虚型肺癌,以咳嗽、胸闷、胸痛、气短、乏力、口干等为主症。

方解:海浮石化痰散结和人参气阴双补共为君药;麦冬、百合、生地黄助人参滋阴润肺,瓜蒌、半夏助海浮石化痰散结,故为臣药;穿山甲、鳖甲软坚散结,白英清肺解毒,灵芝止咳平喘乃为佐药;甘草既止咳化痰又调和诸药为使药,组成了益气养阴、化痰散结的肺癌专用方,符合肺癌气阴两虚、痰浊犯肺的基本病机。

歌诀:肺癌海白冬合汤,蒌玄二甲生地黄,半夏灵芝煅牡蛎,炙草为使不能忘。

据我临床观察,痰浊犯肺、气阴两虚型的肺癌占到总数的三分之一,所以基本方剂的创立可以说是我发扬经方的标志。《中医抗癌进行时——随王三虎教授临证日记》一书中的"辨病抗癌有专方,其中肺癌效尤长""理法方药理服人,海白冬合汤堪珍""海白冬合汤堪珍,积少成多大样本""标本兼治留住根,肺癌五月如常人""厚积薄发显身手,肺癌就是突破口"等篇均能看出具体的应用情况。自我发表了有关海白冬合汤(也叫润肺散结汤)的文章以后,业内许多同行对其给予了肯定。其中黄金昶教授在他的著作中明确提出王三虎教授的海白冬合汤临床效果较好。当然使用海白冬合汤第三方验证也是有据可查的,如陕西的陈宗林医生、郭浩医生等已有验案。该方的新剂型被改名为润肺散结胶囊,作为广西壮族自治区的省级新药科研课题,现在就其药剂学研究已经发表了三篇文章,也是广西"十二五"中医药防治肿瘤专科创新平台建设重点推出的有地方特色的代表方剂之一,被广西十七家中医医院肿瘤科推广使用。

射干麻黄汤是典型的治疗肺癌的方剂,一般用于初期气喘效果比较明显,或者用于手术以后有胸闷、气喘、气短症状的患者。我以前提到过,外感引起的咳嗽、气喘,属寒的话,用小青龙汤;属热的话,用麻杏石甘汤;介于寒热之间,用射干麻黄汤。射干麻黄汤在临床上非常常用,但是作为肺癌的专方,在临床上用的就很少了。如果明确了肺癌和肺痿的关系,射干麻黄汤是非常好用的,它和小青龙汤相比,没有干姜,所以不那么热,和麻杏石甘汤相比,没有石膏,所以不那么寒。在《金匮要略·肺痿肺痈咳嗽上气病脉证并治篇》，张仲景讲："脉浮者，厚朴麻黄汤主之，脉沉者，泽漆汤主之。"如果没有辨病的前提，厚朴麻黄汤、泽漆汤都将被我们忽略，因为仅一个脉浮、脉沉并不能说明问题，只有当我们知道在肺痿这个前提下，脉浮说明有表邪，所以用厚朴麻黄汤。厚朴麻黄汤实际上是以小青龙加石膏汤化裁而来的，把厚朴放在了前面。因为厚朴善化凝结之气，所以如治疗梅核气用的半夏厚朴汤，以及达原饮中，都会使用厚朴。在肺痿伴有表邪的情况下，以厚朴作为君药非常有道理，使表邪不至于和里证相胶结，更主要的是方中小麦可以养心除烦，非常适合肺癌患者。大病之人，心烦气躁，抵抗力降低，也容易引起外感、肺气不宣。在这种情况下，宣发肺气是必要的，化凝结之气也是必要的，养心除烦更是必要的，我不得不佩服张仲景的高明之处。"脉沉者，泽漆汤主之。"刘渡舟教授专门讲过《伤寒论》条文排列法的意义，他讲的是非常有道理的。将厚朴麻黄汤和泽漆汤放在一起讲，言外之意就是在肺癌感受外邪的情况下，用厚朴麻黄汤可防止外邪和内在的痰浊凝结使病情进一步加重。脉沉正好是胸水或肺癌引起恶性胸水的特征性表现，当然这是我们从以方测证中得来的。现在人们对经方的研究已经非常深入了，但泽漆汤作为张仲景二百多个经方中的一个，用的人却非常少。泽漆是什么？多数人知之不详，因而避之不谈，所以其常被忽略。大家觉得没有泽漆这个药啊，其实西安、柳州都有，除了西藏以外，全国三十多个省、市、自治区都产泽漆。《神农本草经》中提到泽漆治疗大腹水气、四肢面目浮肿、丈夫阴气不足等，恰恰就提示了在肺癌胸水、正虚邪实的情况下，泽漆是一味既有强烈利水作用，又略具补性的利水药。在这种情况下，张仲景没有用大戟、甘遂、芫花，而是选了泽漆，非常有深意，用量达到了三斤，因为古今度量衡不同，究竟折算成现在的多少不重要,重要的是,它是张仲景用量最大的药。药量大,所以煎法上肯定有所不同,张仲景的方法是用水将泽漆先煎,再用泽漆的汤熬其他药。泽漆用量这么大可以吗?据现代研究,方中使用泽漆 30 克、60 克,90 克、120 克、150 克的都有,并且用量越大效果越好,且还未发现其他副作用。我个人是这样理解的,正如中医不传之秘在于用量,泽漆虽然有毒性,但是毒性不大,我一般使用时从 30 克开始,体弱者用 20 克,逐渐加量,最大用到 50~60 克,较为谨慎。虽然泽漆是控制胸水靶向性很强的一味药,但我们还是要从整体考虑,在没有把握的情况下用量以谨慎为好。泽漆汤中紫参是臣药,紫参究竟是什么植物?据《中华本草》记载,紫参有五种异名,根据我的文献考证和实际探讨,我认为紫参就是拳参,拳参是正名,紫参是异名。拳参的主要作用是清热利湿、凉血止血、解毒散结,更重要的是拳参是治疗胸痛的靶向药,在临床上用拳参 20 克治疗胸痛往往能取得意想不到的效果,这是泽漆汤中值得我们重视的两味药。在泽漆汤中,紫参和人参共为臣药,半夏、白前止咳化痰,桂枝、黄芩寒热并用,再以甘草止咳化痰、调和诸药。该方利水力强,寒热并用,是治疗肺癌胸水的有效经方。

葶苈大枣泻肺汤也是在"肺痿肺痈咳嗽上气病篇"讲到的。"肺痈喘不得卧,葶苈大枣泻肺汤主之",临床上大多认为肺痈是肺脓肿,但是其并不完全是葶苈大枣泻肺汤证,一般把葶苈大枣泻肺汤作为治疗恶性胸水的药。我在泽漆汤和葶苈大枣泻肺汤的基础上自拟了葶苈泽漆汤,可用于治疗肺癌胸水,有润燥并用的意思,因为在临床上经常见到肺癌引起的胸水不是单纯用利水药就能治疗的,患者常常表现为阴虚,所以方中用麦冬、生地黄、百合都有辨病的意义。

葶苈泽漆汤方

组成:葶苈子 30 克,泽漆 50 克,猪苓 20 克,茯苓 60 克,泽泻 12 克,车前子 15 克,楮实子 15 克,麦冬 30 克,百合 30 克,生地黄 30 克,人参 10 克,黄芪 40 克,麻黄 10 克,大枣 50 克。

功能:破坚利水,益气养阴。

主治:水积肺痿、气阴大伤型肺癌,以恶性胸水憋闷气促为主症。

方解:肺癌胸水的基本病机是水积肺痿,阴气大伤,证势危急。利水恐伤阴,正虚难支,滋阴恐助邪,缓不济急。唯利水与滋阴并用,驱邪与扶正同施为上策。本方是在《金匮要略·肺痿肺痈咳嗽上气病脉证治第七》的葶苈大枣泻肺汤、泽漆汤基础上组成。葶苈子、泽漆破坚散结、利水逐邪为君药。猪苓、茯苓、泽泻、车前子、楮实子助利水之功,麦冬、百合、生地黄滋阴润肺,人参、黄芪益气利水共为臣药。麻黄宣肺利水为佐药。大枣护胃养营,缓和诸药烈性为使药。诸药共奏破坚利水,益气养阴之功。

歌诀:肺痿葶苈泽漆汤,二苓泻车楮麻黄,参芪大枣能益气,冬合地黄养阴良。

张仲景在讲肺痿的时候还提出了甘草干姜汤,非常特殊。原话是"肺痿吐涎沫而不咳者,其人不渴,必遗尿,小便数,所以然者,以上虚不能制下故也。此为肺中冷,必眩,多涎唾,甘草干姜汤以温之。"据我临床观察，甘草干姜汤证是肺癌中极不常见的证型，占到 2%～3%，它属于肺中虚寒，常伴有遗尿、小便数、脑转移。我在西安的时候接诊过这样一个病例，一个以咯血为主症的患者请我到他家里出诊，我一看患者居住的环境比较阴暗，其怕冷症状比较明显，一派寒象，就开了甘草干姜汤的方子，用的是炮姜，考虑到患者体质弱、咯血，就用了原方，结果效果非常显著。我从 2004 年 3 月开始到西安市中医医院肿瘤科工作，有一次查房的时候正好碰到一个从宁夏来的患者，我看他是甘草干姜汤证，但因为这种证型比较少见，开方时就要斟酌再三，我反复用排除法证明纯寒无热，甘草干姜汤无疑，就大胆地用了该方，加减非常少，大约是加了人参、半夏，开了 4 剂药。第四天的时候主管医生没有找我，到了第八天，患者来找我了，我问他："吃了药后怎么样"，他回答说："吃了 4 剂后效果比较明显，后面又吃了 4 剂，效果也很好"，问他现在渴吗，他也说不渴。张仲景说了"渴者属消渴"，为什么呢？因为糖尿病和肺癌常常一起出现，消渴是阴虚和阳虚并见的，所以服药以后容易渴，而肺痿的甘草干姜汤证是痼冷沉寒，纯阳无阴虚，在这种情况下即使大量的用甘草干姜汤，在一定程度上化热不会那么快，还未伤津，所以不渴。上述讲的患者就是这个例子，服药几个月只感觉到效果好，但是证型变化不大，说明张仲景真是经验太丰富了，其中已经有了鉴别诊断的意味。

皂荚丸证也是张仲景在这一篇讲到的，"咳逆上气，时时吐浊，但坐不得眠，皂荚丸主之。"实质上就是用皂荚来治疗黏痰症状。对于肺癌患者，有的人痰非常黏，能拉成丝，常常影响睡眠，这种情况下使用皂荚非常有效，但是单纯用皂荚皂性太强，所以张仲景用皂荚丸常和大枣肉并用，这个配伍非常巧妙，值得我们学习。

《金匮要略》是宋代林亿等人把散失的药方整理起来而成的。宋代的医家已经看到，虽然张仲景已经提出了 6 个治疗肿瘤的方剂，但是和治疗肺痿的临床需要相比是远远不够的，所以又补充了几个方子。其中最有意思的一个方子叫炙甘草汤，实际上该方是《外台秘要》中的，当时已经发现肺痿可以使用炙甘草汤来治疗。原话是"肺痿涎唾多，心中温温液液者"，看来在使用炙甘草汤时不能因为"脉结代"而有所限定，在治疗肺癌的时候也不能因为"抗癌"而限定眼目。肺和心同居上焦，肺主一身之气，心主一身之血，肺痿时，肺气、宗气不足，心气自然不足，心气不足，易使心血推动无力，对于老年人来说，容易出现心供血不足、胸痹，出现炙甘草汤证的概率就很大。换句话说，用炙甘草汤养心益气、养阴活血，本来就有助于肺癌患者的恢复。我提出的一个观点叫"肺癌五脏相关论"，是以炙甘草汤治疗肺癌作为开头的。炙甘草汤太有名气了，凡是学中医的人都知道"炙甘草汤参桂姜，麦冬生地大麻仁，大枣阿胶加酒服，虚劳肺痿效若神。"但我们背歌诀时又是否真正理解和思考了其中的含义。不仅如此，到了元代，罗天益的《卫生宝鉴》还提出肺肾两虚型肺痿的代表方剂人参蛤蚧散。我也是从事了肿瘤学科工作、研究了肿瘤和肺痿的关系以后，才发现原来我们这么熟悉的人参蛤蚧散就是治疗肺痿的。我使用人参抗癌，早年就曾提出"人参抗癌论"的观点，也得到了广泛的临床验证。肺痿的肺肾两虚、肾失摄纳型虚喘非常常见，所以人参蛤蚧散也是治疗肺癌的有效方剂。这也提醒我们使用经方时要多思考。王焘、林亿、罗天益给我们做了很好的榜样：不离经方，不拘泥于经方。我们的目的不仅仅是为了研究经方，而是为了提高临床疗效。人参蛤蚧散用人参大补元气，蛤蚧补肺肾、定喘嗽，为君药；茯苓、甘草和中健脾为臣药；杏仁、贝母化痰下气，知母、桑白皮滋阴清热，共为佐药，可谓千古名方。在使用人参的时候有好多人问我，人参性热，可不可以用西洋参、太子参、党参代替？这是错误的观念。人参是非常好的祛邪药、抗癌药。从人参中提取出 HR3，制成的参一胶囊，是我们国家少有的一类抗癌新药。肺痿出现的虚喘、上气不接下气，除用人参外还可用蛤蚧。蛤蚧的作用非常强，在肺癌患者大势已去的情况下，每天使用一对蛤蚧，有改善患者体质、通气的功能，使患者的气喘、气短得以恢复。人参我一般用 12 克、15 克或者 18 克，生晒参、红参都可以。不要总认为人参贵，和很多药相比，人参不贵，效价比却很高。蛤蚧也一样，我一次用一对，水煎服。有的人用 3 克研末，怎么能研末？一看蛤蚧就知道研末真是强人所难，而且量也不够。另外，关于蛤蚧使用时是否去头足的问题，我用蛤蚧从来不去头足。行医 40 年以来，我用过的蛤蚧夸张地说也有一卡车了，没有一个因为没去头足发生问题，甚至我认为头足更贵，没有去的必要。人参蛤蚧散是肺肾相关证，炙甘草汤是心肺相关证，肺癌的咯血用黛蛤散则是肝肺相关证。很多人都说中医疗效慢，其实不见得慢，黛蛤散就是治疗肝火犯肺型肺癌咯血的有效方药。黛蛤散里的青黛我一般用 6 克，冲服，蛤是海蛤壳，具有清利分化的作用。黛蛤散里解释海蛤壳具有清肝火、清痰热的作用，其实并不准确，海蛤壳具有分利痰热的作用，使痰和热、邪和热分开，就像厚朴麻黄汤中的麻黄，这是我从张仲景《伤寒论》141 条文蛤散中得出的。肺痿还和脾经有关，脾为后天之本，脾属土，肺属金，土生金，肺痿的肺脾两虚证用六君子汤作为基础方治疗也是有依据的。从中也可看出我提出的"肺癌五脏相关论"是有一定临床基础的。

经方溯源

《金匮要略·肺痿肺痈咳嗽上气病脉证治第七》：问曰：热在上焦者，因咳为肺痿。肺痿之病何从得之？师曰：或从汗出，或从呕吐，或从消渴，小便利数，或从便难，又被快药下利，重亡津液，故得之。曰：寸口脉数，其人咳，目中反有浊唾涎沫者何？师曰：为肺痿之病。若口中辟辟燥，咳即胸中隐隐痛，脉反滑数，此为肺痈，咳唾脓血。脉数虚者为肺痿，数实者为肺痈。

《金匮要略·肺痿肺痈咳嗽上气病脉证治第七》：问曰：病咳逆，脉之，何以知此为肺痈？当有脓血，吐之则死，其脉何类？师曰：寸口脉微而数，微则为风，数则为热；微则汗出，数则恶寒。风中于卫，呼气不入；热过于荣，吸而不出。风伤皮毛，热伤血脉。风舍于肺，其人则咳，口干喘满，咽燥不渴，时唾浊沫，时时振寒。热之所过，血为之凝滞，蓄结痈脓，吐如米粥。始萌可救，脓成则死。

《金匮要略·肺痿肺痈咳嗽上气病脉证治第七》：上气，面浮肿，肩息，其脉浮大，不治。又加利，尤甚。

《金匮要略·肺痿肺痈咳嗽上气病脉证治第七》：上气，喘而躁者，属肺胀，欲作风水，发汗则愈。

《金匮要略·肺痿肺痈咳嗽上气病脉证治第七》：肺痿吐涎沫而不咳者，其人不渴，必遗尿，小便数，所以然者，以上虚不能制下故也。此为肺中冷，必眩，多涎唾，甘草干姜汤以温之。若服汤已渴者，属消渴。

甘草干姜汤方

甘草四两,炙　干姜二两,炮

上㕮咀,以水三升,煮取一升五合,去滓,分温再服。

《金匮要略·肺痿肺痈咳嗽上气病脉证治第七》:咳而上气,喉中水鸡声,射干麻黄汤主之。

射干麻黄汤方

射干十三枚,一云三两　麻黄四两　生姜四两　细辛三两紫菀三两　款冬花三两　五味子半斤　大枣七枚　半夏大者八枚,洗,一法半升

上九味,以水一斗二升,先煮麻黄两沸,去上沫,内诸药,煮取三升,分温三服。

《金匮要略·肺痿肺痈咳嗽上气病脉证治第七》:咳逆上气,时时吐浊,但坐不得眠,皂荚丸主之。

皂荚丸方

皂荚八两,刮去皮,用酥炙

上一味,末之,蜜丸梧子大,以枣膏和汤取三丸,日三夜一服。

《金匮要略·肺痿肺痈咳嗽上气病脉证治第七》:咳而脉浮者,

厚朴麻黄汤主之。

厚朴麻黄汤方

厚朴五两　麻黄四两　石膏如鸡子大　杏仁半升　半夏半升
干姜二两　细辛二两　小麦一升　五味子半升

上九味，以水一斗二升，先煮小麦熟，去滓，内诸药，煮取三升，
温服一升，日三服。

《金匮要略·肺痿肺痈咳嗽上气病脉证治第七》：脉沉者，泽漆
汤主之。

泽漆汤方

半夏半升　紫参五两一作紫菀　泽漆三斤（以东流水五斗，煮
取一斗五升）　生姜五两　白前五两　甘草三两　黄芩三两　人
参三两　桂枝三两

上九味，㕮咀，内泽漆汁中，煮取五升，温服五合，至夜尽。

《金匮要略·肺痿肺痈咳嗽上气病脉证治第七》：大逆上气，咽
喉不利，止逆下气者，麦门冬汤主之。

麦门冬汤方

麦冬七升　半夏一升　人参三两　甘草二两　粳米三合　大
枣十二枚

上六味，以水一斗二升，煮取六升，温服一升，日三夜一服。

《金匮要略·肺痿肺痈咳嗽上气病脉证治第七》：肺痈，喘不得卧，葶苈大枣泻肺汤主之。

葶苈大枣泻肺汤方

葶苈（熬令黄色，捣丸如弹子大）　大枣十二枚
上先以水三升，煮枣取二升，去枣，内葶苈，煮取一升，顿服。

《金匮要略·肺痿肺痈咳嗽上气病脉证治第七》：咳而胸满，振寒脉数，咽干不渴，时出浊唾腥臭，久久吐脓如米粥者，为肺痈，桔梗汤主之。

桔梗汤方

桔梗一两　甘草二两
上二味，以水三升，煮取一升，分温再服，则吐脓血也。

《金匮要略·肺痿肺痈咳嗽上气病脉证治第七》：咳而上气，此为肺胀，其人喘，目如脱状，脉浮大者，越婢加半夏汤主之。

越婢加半夏汤方

麻黄六两　石膏半斤　生姜三两　大枣十五枚　甘草二两
半夏半升

上六味，以水六升，先煮麻黄，去上沫，内诸药，煮取三升，分温三服。

《金匮要略·肺痿肺痈咳嗽上气病脉证治第七》：肺胀，咳而上气，烦躁而喘，脉浮者，心下有水，小青龙加石膏汤主之。

小青龙加石膏汤方

麻黄三两　芍药三两　桂枝三两　细辛三两　甘草三两　干姜三两　五味子半升　半夏半升　石膏二两

上九味，以水一斗，先煮麻黄，去上沫，内诸药，煮取三升。强人服一升，羸者减之，日三服，小儿服四合。

《外台秘要》炙甘草汤方

治肺痿涎唾多，心中温温液液者（方见虚劳中）。

《千金方》甘草汤方

甘草二两

上一味，以水三升，煮减半，分温三服。

《千金方》生姜甘草汤方

治肺痿咳唾涎沫不止，咽燥而渴。

生姜五两　人参三两　甘草四两　大枣十五枚

上四味,以水七升,煮取三升,分温三服。

《千金方》桂枝去芍药加皂荚汤方

治肺痿吐涎沫。

桂枝三两　生姜三两　甘草二两　大枣十枚　皂荚二枚,去皮子炙焦

上五味,以水七升,微微火煮取三升,分温三服。

《外台秘要》桔梗白散方

治咳而胸满,振寒,脉数,咽干不渴,时出浊唾腥臭,久久吐脓如米粥者,为肺痈。

桔梗三分　贝母三分　巴豆一分,去皮熬,研如脂

上三味,为散,强人饮服半钱匕,羸者减之。病在膈上者吐脓血;膈下者泻出;若下多不止,饮冷水一杯则定。

《千金方》苇茎汤方

治咳有微热,烦满,胸中甲错,是为肺痈。

苇茎二升　薏苡仁半升　桃仁五十枚　瓜瓣半升

上四味,以水一斗,先煮苇茎得五升,去滓,内诸药,煮取二升,服一升,再服,当吐如脓。

《金匮要略·肺痿肺痈咳嗽上气病脉证治第七》:肺痈胸满胀,一身面目浮肿,鼻塞清涕出,不闻香臭酸辛,咳逆上气,喘鸣迫塞,

葶苈大枣泻肺汤主之。（方见上，三日一剂，可至三四剂，此先服小青龙汤一剂，乃进。）

对于经方，我们尊崇、学习、模仿、利用，但是不能仅仅就经方论经方。在临床实践过程中如何使经方发挥更大的作用，如何用经方来治疗我们面对的疑难疾病，就需要我们进一步发扬并研究经方。发扬经方有几个方面：第一是活用，就是扩大它的应用范围，即以前某方没有用于治疗这个病，现在可以用于治疗这个病。这一点，几十年来中医同仁们已经做了很多工作，1992年我主编的《经方各科临床新用与探索》一书就是以这一话题为主题的。第二是化裁，在临床治疗上常取经方之意，不一定完全照搬经方的所有药。张仲景的很多方子，如鳖甲煎丸、薯蓣丸、升麻鳖甲汤等，我们主要是师其法而不拘泥于其方。第三是在经方、小方基础上的合方。这种加减往往是将几个方子合在一起，经方和时方并用的情况比较多。第四是在经方基础上拟定新方。如前所述，肺癌的治疗中我的两个自拟方希望得到大家的认可、运用和传播，所以附上了歌诀。

关于泽泻汤，临床上我们常用泽泻30克、白术12克，量大的时候使用泽泻50克、白术20克，治疗脑瘤。不管是脑胶质瘤、脑转移瘤，还是颅内良性肿瘤我都是以泽泻汤为基本方进行治疗。因为颅内肿瘤、脑肿瘤总是以痰浊上犯、蒙蔽清窍，清阳不升、浊阴不降为主要病机，泽泻汤虽然药不多，却具备了这个功能。当然如果在实际运用过程中，患者舌苔黄厚，偏于痰热，我会使用黄连温胆汤。河北邯郸曾有个患者，脑胶质瘤术后复发，找到2004年《中医杂志》上我的研究生张若楠和王星发表的《王三虎运用千金方治疗肿瘤经验》中的泽泻汤加黄连温胆汤处方，他直接按着这个方子吃了一年,第二年 2 月初到西安找到我的时候,他就拿着这本杂志,告诉我他按着这个方子吃了一年,前十个月效果非常好,但最近效果越来越不好,所以辗转找到我本人。我详细了解病情后在此基础上做了加减,他拿了一个月的药回去,吃了 5 剂以后家属打电话告知药有效果,3 月初患者在家属的陪同下又找到我,说吃了 10 剂药以后效果非常明显。在该方的加减运用中,若患者以痰浊为主我会和半夏白术天麻汤合方,一般加苍术、蛇六谷;如果患者伴有瘀血,我常加蜈蚣、全蝎、川芎。在这几个基础上,因为巅顶之上,唯风可达,所以防风、荆芥也较常用。

经方溯源

《金匮要略·痰饮咳嗽病脉证并治第十二》:心下有支饮,其人苦冒眩,泽泻汤主之。

泽泻汤方

泽泻五两　白术二两

上二味,以水二升,煮取一升,分温再服。

在临床诊治中,患者的舌象能够提供非常真实、可靠的信息,所以看诊时我常多次反复看舌头。是否使用泽泻汤或其他方子也主要是从舌象上辨别的。在此提供几个病案。柳州有一个患者脑胶质瘤术后,在我这里治疗了七八年,因经济比较困难,所以希望尽量少花钱,患者服用我的方子病情一直控制得很稳定。但在一次偶然住院期间,发现患者患有先天性心脏病,在做心脏手术的时候去世了,临终只有四十岁左右。其实心脏病并没有给她造成什么问题,只是在例行检查的时候发现的。这个病例也提醒我们,在上述这种情况下患者是否需要做手术,是值得我们医生考虑的问题。还有一个病例,在柳江县有一对打工的夫妻,女方得了脑瘤以后做不起手术,还要坚持上班,甚至连每次取药的时间都没有,所以我的印象很深。到现在患者已经坚持服用中药保守治疗了四年,并一直坚持工作,复查 CT 肿块明显缩小。值得一提的是她建了一个 QQ 群,每天在群里发一些很有见地的想法,内容多得都能出一本书了。我曾问她是不是转载的,她说是原创的。作为一个普通工人,她的文化程度并不高,而且还带病工作,竟能有这么多思想见地。我猜想,也许与她所患的肿瘤有关,很是奇妙。以泽泻汤为主的中药治疗脑瘤的效果还是比较明确的。五六年前有个两岁多的小孩因一个胳膊不能上举来就诊,实际上这就是脑胶质瘤的表现,因为不想手术,就找到我,吃药一周后小孩就能举起手了,效不更方,孩子一直吃到上学。其间我也曾考虑过是不是要换些健脾补肾祛风的药,所以在一两个月后孩子病情稳定的情况下我给他换成了健脾补肾的药,从脾肾根本上解决痰之源,但是大约吃了十天以后,孩子的家长找到我,说孩子吃药以后精神有点问题,有时候会无缘无故地大喊大叫,所以我只好又用回了原来的方子。究竟是什么原因导致的呢?我仍在观察阶段。

肺癌脑转移非常常见,曾有一个肺癌脑转移患者在我这治了十一年左右,停药就有症状,不停药就能控制。所以临床上经常有患者问我什么时候能停药,是真把我难住了,有时候有些患者说吃药了好像还有问题,所以就不想吃了,结果不吃药才知道药是起作用的。

西医认为大多数甲状腺癌都是可以治愈的,中医也有许多这方面的经验,其中就有已经发表过的以小柴胡汤为主治疗甲状腺癌的经验。为什么要用小柴胡汤?因为颈部两侧是少阳经所过,当然也有痰热和气机升降的原因。小柴胡汤治疗甲状腺癌与治疗淋巴瘤有类似之处,虽然颈淋巴、腋下淋巴、腹股沟淋巴经常出现恶性淋巴瘤,甚至是全身性的,但被发现的往往是少阳经循行路线上的,所以我常以小柴胡汤为基础治疗甲状腺癌和淋巴瘤。在此基础上我常常加瓦楞子、夏枯草、猫爪草、浙贝母、土贝母、山慈菇以增强该方化痰散结的作用。我想张仲景当年可能没有想到他留给后人的小柴胡汤竟有如此效力,竟然在一千八百年以后发挥了更大的作用。

此外,纵隔肿瘤最易形成上腔静脉综合征,患者常常出现面部肿胀、颈静脉怒张、胸腔憋闷等。我在临床上使用木防己汤进行治疗。张仲景在痰饮病篇讲到"隔间支饮,其人喘满,心下痞坚,面色黧黑,其脉沉紧,得之数日,医吐下之不愈,木防己汤主之"。他并没有说这是肿瘤,是我从临床上观察得出来的。木防己汤只有四味药:木防己、石膏、桂枝、人参,寒热并用,扶正祛邪,配伍巧妙。木防己汤中石膏的用量好多版本中都是十二枚,开始时我认为这是张仲景用量最大的药,鸡子大十二枚,几公斤呢。随着临床体会的加深我觉得这好像不太符合实际。我没有再去找度量衡,也不去找其他版本,而是想,张仲景的木防己汤中煎药用的水和大多数方剂是一样的,这就说明"鸡子大十二枚"是有问题的,鸡子大一枚是60~90克,是完全有可能的,所以在临床上使用木防己汤治疗上腔静脉综合征、纵隔肿瘤时,石膏我一般都用 60 克、90 克或 120克。上腔静脉综合征在临床上常常表现为面红耳赤,甚至前胸都是红赤的,确实符合石膏大量应用的指征,即使没有出现面赤,也要用石膏，为什么呢？因为方中既有桂枝，也有石膏，是寒热并用的，符合我提出的"寒热胶结致癌论"。传统医家是怎么解释的呢？以尤在泾为代表，他认为这是"痞坚之下必有伏阳"，言外之意，有肿块的地方必有内热。寒凝气滞是形成肿瘤的基础，寒邪日久化热，或者寒热胶结才是形成肿瘤的原因，在木防己汤中尤其有所体现。说木防己汤证是纵隔肿瘤、上腔静脉综合征，也不完全对。事实上，其适应证还包括一些水饮、痰饮等不是肿瘤的疾病，为什么呢？张仲景说了"虚者即愈，实者三日复发，复与不愈者，宜木防己汤去石膏加茯苓芒硝汤主之"。虚者即愈，实者反倒复发了，这不是讲不通吗？用我现在的解释是，当有心下痞坚，有肿瘤的时候这就是实，虚实夹杂，以实为主，所以即使用药有效但很容易复发。如果是一般的水饮的话，用药三日就好了。由此可见，张仲景的临床经验真的很丰富。对纵隔肿瘤张仲景是主张去石膏加茯苓、芒硝的，茯苓量大，加强利水作用，芒硝软坚散结。但是我觉得，石膏也不必去，临床上石膏常要用几个月，需要结合临床实际用药。

经方溯源

《金匮要略·痰饮咳嗽病脉证并治第十二》：膈间支饮，其人喘满，心下痞坚，面色黧黑，其脉沉紧，得之数十日，医吐下之不愈，木防己汤主之。虚者即愈，实者三日复发，复与不愈者，宜木防己汤去石膏加茯苓芒硝汤主之。

木防己汤方

木防己三两　石膏十二枚,鸡子大　桂枝二两　人参四两

上四味,以水六升,煮取二升,分温再服。

木防己去石膏加茯苓芒硝汤方

木防己二两　桂枝二两　人参四两　芒硝三合　茯苓四两

上五味,以水六升,煮取二升,去滓,内芒硝,再微煎,分温再服,微利则愈。

　　肝癌、胆囊癌、胰腺癌都是恶性肿瘤,被称为"癌中之王"。中医治疗上述恶性肿瘤从 20 世纪 80 年代起使用破血活血的方法,后来采用健脾益气的方法,虽然都有一些治疗作用,但仍有一些局限性,这些治疗方法大多是针对症状而言的,都有一定的滞后性。经过我多年临床观察及理论探究,找到了肝、胆、胰肿瘤的基本病机,和小柴胡汤证的基本病机类似,即为寒热并见、气机升降失常、胆胃不和等,所以小柴胡汤是治疗肝、胆、脾、胰肿瘤的主方。更主要的是《伤寒论》中小柴胡汤的条文中就有"胁下痞硬者,去大枣,加牡蛎",我们有多少人注意到这一条?又有多少人想到这个指的是什么病?我个人认为它就是肝、胆、脾、胰肿瘤的表现。当然"胁下痞硬"也不能绝对的说是恶性肿瘤,但是从肿瘤科医生的角度看,它就是肝、胆、脾、胰肿瘤造成的肿块,但也不排除其他看法。《金匮要略》黄疸病篇指出"呕而发热者,小柴胡汤主之",我们是不是把这一条也忽略了?在讲黄疸的时候,我们能想到茵陈蒿汤、栀

子大黄汤、茵陈术附汤,有几个人能想到小柴胡汤? 为什么在黄疸病篇提出小柴胡汤? 我觉得它针对的就是肝胆肿瘤造成的黄疸。当然治疗肝、胆、胰肿瘤我们简单地用一个小柴胡汤是肯定不够的,所以我在其基础上自拟了软肝利胆汤。

新方亮相

软肝利胆汤方

组成:柴胡 12 克,黄芩 12 克,法半夏 12 克,红参 12 克,田基黄 30 克,垂盆草 30 克,丹参 20 克,鳖甲 20 克,煅牡蛎 30 克,夏枯草 20 克,山慈菇 12 克,土贝母 12 克,延胡索 12 克,姜黄 12 克,甘草 6 克。

功能:软肝利胆,化痰解毒,扶正祛邪。

主治:湿热成毒,蕴结肝胆的肝癌、胆囊癌,以肝区胀痛、肿块石硬、面目黄染、食欲不振、舌红苔厚为主症。

方解:本方是在小柴胡汤的基础上化裁而成。《伤寒论》中小柴胡汤证的胸胁苦满、默默不欲饮食就是肝癌的常见症状,尤其是方后加减法中"若胁下痞硬,去大枣,加牡蛎"和《金匮要略·黄疸病脉证并治》中"诸黄,腹痛而呕者,宜柴胡汤"都是本方的重要依据。故本方以柴胡疏利三焦气机,为君药,是软肝利胆的前提;黄芩、田基黄、垂盆草清热利湿退黄,法半夏、山慈菇、土贝母化痰解毒,丹参、鳖甲、生牡蛎、夏枯草活血化瘀、软坚散结,人参益气扶正,均为臣药,相辅相成,助君药达到软肝利胆的目的;佐以延胡索、姜黄理气止痛;甘草调和诸药,有护肝缓急之力,为使药。共奏软肝利胆、化痰解毒、扶正祛邪之功。

歌诀:软肝利胆柴胡君,三黄三草半夏参,慈菇鳖甲煅牡蛎,元胡土贝方是真。

按语:本方已应用 11 年,临床效果确切。其中柳州市科研项目《软肝利胆汤对介入联合三维适形放疗肝癌患者生存质量影响的研究》证明本方法改善了肝癌患者的生存质量及预后,在一定程度上降低了住院的医疗费用,减轻了患者的经济负担,延长了患者的生存期。

肝胆的肿瘤经常引起腹水,类似于中医内科讲鼓胀时碰到的"如囊裹水"等,其实腹水多半都是恶性肿瘤造成的。我认为小柴胡汤的功效不仅仅是治疗肝胆肿瘤,更主要是它能疏利少阳三焦之气机。三焦就是"水道",用小柴胡汤就非常对证。显然光用小柴胡汤治疗恶性腹水也是不够的,我将其和五苓散合用,即柴苓汤,并增加一些辨病用药,共同组成我的自拟方——保肝利水汤。

新方亮相

保肝利水汤方

组成:柴胡 12 克,黄芩 12 克,法半夏 15 克,红参 10 克,黄芪 40 克,半边莲 30 克,茯苓 50 克,猪苓 20 克,泽泻 20 克,白术 15 克,鳖甲 30 克,大腹皮 20 克,厚朴 12 克,煅牡蛎 30 克,穿山甲 6 克,生姜 12 克,大枣 30 克。

功能:理气疏肝,健脾益气,利水消胀。

主治:肝郁脾虚,三焦水道壅塞的肝癌腹水,以腹大如鼓、神疲乏力、下肢水肿、食欲不振、舌体胖大为主症。

方解：本方也是在小柴胡汤的基础上化裁而成。小柴胡汤不仅能和解表里，也能疏利三焦、疏通水道。《伤寒论》第230条所谓服小柴胡汤"上焦得通，津液得下，胃气因和，身濈然汗出而解"就是其理论依据。故本方以柴胡疏利三焦，通调水道，疏肝理气，为君药；黄芩、法半夏助柴胡之泻肝和胃，红参、黄芪益气利水，半边莲、茯苓、猪苓、泽泻、白术健脾利水，大腹皮、厚朴行气消胀利水，均为臣药；佐以煅牡蛎、穿山甲软坚散结，直攻病之巢穴；生姜、大枣护肝和胃中有利水制水之力，为使药。药多量重，乃病势之使然。共奏理气疏肝、健脾益气、利水消胀之功。

歌诀：保肝利水柴去甘，四苓黄芪半边莲，二甲厚朴大腹皮，牡蛎利水又软坚。

按语：本方已应用逾10年，现作为晚期肝癌腹水的主方，已列入广西壮族自治区卫生厅科研项目(GZPT1254)进行深入研究。

我的弟子，广西中医药大学第三附属医院范先基、杨子玉总结了我治疗肝癌的经验，从中可以看出我在肿瘤临床治疗中活用经方的实际，引用如下。

1. 中西并用防治并重

王三虎老师（以下简称"王师"）认为，对于癌症而言，综合治疗是必经之路，防治并重是当务之急。现代医学对肝癌的治疗，诸如手术、介入、放疗、化疗等，主要着眼于肿瘤组织本身，侧重于解决已经形成的肿块，虽能解决一定问题，但由于对人体的整体情况重视不足，即使局部的肿瘤消失了，但产生肿瘤的体内环境并没有改变。而中医学则强调人体的整体机能，主要解决为什么产生肝癌的问题，釜底抽薪，改善产生肝癌的内环境。因此，只有中西医结合,才能充分发挥互补作用,达到最佳效果。

王师认为手术、介入等方法是肝癌治疗宏观战略的一部分,这也是整体观念在肿瘤临床治疗中的体现。恢复健康就是预防肿瘤术后复发的关键。而如何恢复健康,中医的思路广、方法多、优势明显。另外,癌前病变的治疗也非常重要,我国肝癌患者中 HBV阳性率高达 90%,大约 70%是在肝硬化的基础上发展而来。如果不解决肝炎、肝硬化问题,复发就在所难免。只有积极干预,坚持用药,恢复脏腑气血的正常功能,使阴阳调和,才能达到避免复发的目的。

2.辨病正名,谨守病机

王师认为,"肝著""肝积""黄疸""积聚""鼓胀""癖黄"等与肝癌相关的传统病症名称,均不能体现肝癌的本质。病名是疾病的病因、病机、病位、病程、预后等特殊性的体现,所以正名非常重要。在当今的条件下,能用中医传统病名如疟疾、肠痈、肺痿等指导诊疗的话,则直接用之。反之,则可借用现代医学病名。中医历代就有兼收并蓄、直接引进当代科学技术成果的优良传统,我们现在也不必强分中西。何况肝癌已经是《GB/T 16751.1—1997 中医临床诊疗术语——疾病部分》的标准病名。只有在肝癌的病名下,我们的研究才能深入,才能探究其基本病机、演变规律和有效方药等。

王师认为,《黄帝内经》(以下简称《内经》)强调的"谨守病机,各司其属"非常重要,基本病机常常是贯穿疾病始终的主要矛盾,抓住主要病机,就是抓住了根本。患者多因感受湿热毒邪,加之情绪不畅,饮食不节,脾胃受伤,以致湿热内生,肝郁化火,枢机不利,脾失运化,痰浊内生,升降失常,日久成毒挟瘀,瘀毒互结,积聚结块,而成肝癌。临床表现为右胁胀痛,或可触及肿块,伴有纳呆、乏力、口苦、恶心、腹胀、腹泻,甚或黄疸、面色晦暗、鼻衄、腹大如鼓、吐血、黑便、下肢水肿等。因此,肝郁脾虚,湿热蕴毒,枢机不利是本病的基本病机。

3.把握病程,详于辨证

王师从中医角度将肝癌分为早期、中期、晚期的不同病程阶段。早期患者多在体检中发现,多有慢性肝炎病史,此期患者多可采用手术及介入治疗。中医面对的多是手术及介入治疗后的患者。即使有初诊患者也应积极建议患者手术或介入治疗的同时用中药。患者临床以口干苦,纳差,胸胁不适,大便干,舌红苔薄,脉弦为主症。病机为肝郁脾虚、枢机不利、邪毒积聚、正虚未甚,以小柴胡汤加味治疗。来柳州市中医医院近4年,王师治疗本期患者1年以上者有十几人,最长者近4年。

中期患者多为手术或介入治疗后复发,或失去手术治疗机会者,病程日久,邪气嚣张,正气亏虚已甚,表现为胁下痞块坚硬、形体消瘦、面色青黄或灰暗,或面色萎黄无华、精神不振、气力低微、纳差、食则腹胀、腹痛、腹泻等。此时系毒结肝胆,正虚邪实,法当疏肝利胆、抗癌解毒、扶正祛邪。以王师自拟的软肝利胆汤加味柴胡、黄芩、半夏、人参、垂盆草、鳖甲、丹参、夏枯草、生牡蛎、山慈菇、土贝母、延胡索、姜黄、甘草、薏苡仁、茯苓、珍珠草、苏叶、田基黄、桃仁、穿山甲、鳖甲治疗。

晚期患者多伴有肺、骨等转移灶,或肝功能持续异常、恶病质。患者腹水难消,白蛋白低下,又加反复抽取腹水或利水日久以致阴液亏耗、燥湿相混;或清热过度,脾阳受伤进而累及肾阳,以致阴阳俱损、正气大衰,症见大肉已脱、神情淡漠、声低懒言、形体消瘦、鼓胀水肿、口干不欲饮、形寒怯冷;而特殊之处在于患者往往表现为既有肝经热毒的口苦、舌红、眩晕,又有胃寒的喜热饮,遇生冷则胃脘胀满、畏寒、舌苔白等寒热并存的表现,而且难分难解,持续存在。患者表现为肝胆湿热与脾胃虚寒并存的寒热胶结之象；或湿热蕴毒，热入血分，症见消化道出血、发热、肝掌、蜘蛛痣。其治疗当以留人治病，扶正为主，祛邪为辅，以期提高生存质量，延长寿命。对于阴阳两虚，水停气滞者，王师多选用自拟的保肝利水汤加味半边莲、猪苓、柴胡、黄芩、半夏、生姜、大枣、鳖甲、穿山甲、生牡蛎、泽泻、茯苓、白术、厚朴、大腹皮、红参、黄芪、阿胶、附片、补骨脂、淫羊藿、干姜、麻黄等。肝胆湿热，脾阳不足以致寒热胶结者多选用柴胡桂枝干姜汤加减。湿热蕴毒，热入血分者多选用小柴胡汤合犀角地黄汤加减。

4. 重视经典，创制新方

王师非常重视《伤寒论》《金匮要略》《神农本草经》等在肿瘤治疗当中的应用，根据《金匮要略》提出了"肺癌可从肺痿论治"等新观点。而用小柴胡汤治疗肝癌，就是以《伤寒论》中的小柴胡汤加减法中的"若胁下痞硬，去大枣，加牡蛎"，《金匮要略·黄疸病脉证并治》中"诸黄，腹痛而呕者，宜柴胡汤"等为理论依据的。小柴胡汤仅用柴胡、黄芩、半夏、生姜、人参、大枣、甘草这常用的 7 味药，就有寒热并用、补泻兼施、和解表里、疏利枢机、恢复升降、通调三焦、疏肝保肝、利胆和胃等功能。其适应证非常广泛，尤其与肝郁脾虚、湿热蕴毒、枢机不利的病机相当合拍。

当然，"古方今病不相能"，小柴胡汤也不是专为治疗肝癌而设。所以，王师依据多年的临床实践，在此基础上创制肝癌主方——软肝利胆汤。组方：柴胡 12 克，人参 12 克，黄芩 12 克，垂盆草 30 克，半夏 12 克，夏枯草 20 克，生牡蛎 30 克，山慈菇 12 克，土贝母 15 克，鳖甲 20 克，丹参 20 克，延胡索 12 克，姜黄 12 克，甘草 6 克。方中以柴胡、人参疏肝健脾，为君药；黄芩、垂盆草清利肝胆湿热，为臣药；半夏、夏枯草、生牡蛎、山慈菇、土贝母、鳖甲化痰解毒散结,丹参、延胡索、姜黄理气止痛,为佐药;甘草补中益气,调和诸药,为使药。全方共奏疏肝健脾、清利湿热、化痰解毒、软坚散结之功。对于肝癌晚期最常见的腹水难消之证,王师依据多年的临床实践,认为肝癌腹水的主要病机是肝郁脾虚、气滞水停,故在小柴胡汤基础上创制专方——保肝利水汤。组方:柴胡12克,人参10克,黄芩12克,生姜6克,茯苓30克,白术15克,黄芪40克,半边莲30克,猪苓30克,泽泻20克,厚朴12克,大腹皮20克,半夏15克,鳖甲30克,穿山甲6克,生牡蛎30克,大枣6枚。方中以柴胡、人参疏肝健脾,为君药;黄芩、生姜辛开苦降助柴胡疏理肝气,茯苓、白术、黄芪助人参益气利水,共为臣药;半边莲、猪苓、泽泻、厚朴、大腹皮行气利水,半夏、鳖甲、穿山甲、生牡蛎化痰散结,为佐药;大枣和中护胃,为使药。全方共奏疏肝健脾、行气利水、软坚散结之功。

"软肝利胆汤"和"保肝利水汤"作为院内制剂,在柳州市中医医院应用3年来,治疗患者500余人次,药性平稳,除治愈个案外,一般能够有效控制患者病情,防止疾病复发转移,提高患者生存质量,延长寿命,并建立了涉及国内24个省、市、区长期用药的患者群。这也充分体现了王师在治疗肿瘤时强调的"和缓建功"的思想。王师认为肿瘤的治疗中如以除恶务尽之心一味地使用攻伐峻烈之品,往往加速病情进展,适得其反。故应立足于患者的整体情况,以人为本,以消除肿瘤为辅,达到带瘤生存的目的。

5.病案举例

病案1 郑先生,52岁,广西柳州人。于2004年8月16日在柳州市某医院拟行肝癌切除术。术中发现肿瘤太大,无法切除,乃行肝门部胆管取癌栓术、左右肝管引流术。术后诊断:①原发性肝癌;②胆管癌;③胆管结石;④慢性乙肝。患者于9月10日出院,服用葡醛内酯等药物治疗。2004年11月18日初诊:形体消瘦,带胆汁引流管,声低气怯,两目微黄,食欲尚可,口酸,小便时黄,大便稀,舌红,苔薄黄,脉弦。辨证:湿热成毒,壅结肝胆,邪胜正衰。治疗:法当清利肝胆湿热,解毒,软坚散结,扶正祛邪。自拟软肝利胆汤加减。药用:柴胡12克,黄芩12克,半夏12克,红参12克,田基黄30克,垂盆草30克,鳖甲20克,丹参20克,夏枯草20克,生牡蛎30克,山慈菇12克,土贝母12克,延胡索12克,姜黄12克,甘草6克。5剂,每日1剂,水煎分2次服。2004年11月23日复诊,患者用药后病情平稳,自述因医院告知来日无多,恐在柳州丧葬花费太多,要求带药方回湖南老家。乃嘱其原方带回,坚持服用,未必那么悲观。

2005年6月17日第3诊,患者精神气色判若两人,自述回家坚持服药后,病情日见好转,无明显不适,已如常人。2005年5月18日至20日在柳州原初诊的医院复查B超、CT,肝、胆、脾、胰未见异常,乃取出胆汁引流管。患者舌红苔薄,脉弦,但恐病情反复,仍用原方7剂,巩固疗效。

2005年7月9日第4诊,患者无明显不适,为谋生而自行恢复原先工作。患者舌红苔薄,脉弦,仍继续用药,防止复发,使用小柴胡汤加味治疗。药用:柴胡12克,黄芩12克,半夏12克,红参10克,田基黄30克,鳖甲20克,莪术12克,姜黄12克,甘草6克。5剂,每日1剂,水煎分2次服。

其后断续来诊,以上方为主,每次7剂左右,偶以叶下珠、厚朴、大腹皮、白术、茯苓、薏苡仁酌情加一二味。

2006年10月24日第30诊。患者健康如常,仍用上方,表示要尽经济可能坚持来诊以防复发。

2007年11月29日第51诊,患者至今距初诊已3年多,无明显不适,正常工作,每月定时来诊两次,以预防复发。

按语：中药治愈肝癌、胆管癌肯定是极个别的例子。但偶然中有必然，只是希望这种偶然更多一些，帮助我们找出规律性的东西，从而提高肿瘤治疗效果。

病案 2　韦先生，57 岁，广西柳州人。体检时发现原发性肝癌。2005 年 7 月 4 日行肝癌切除术。术后病理诊断：肝细胞性肝癌。随后患者进行介入化疗 1 次。患者 2005 年 7 月 28 日初诊：形体偏弱，面色萎黄，浑身无力，不欲饮食，大便偏稀，睡眠不好，舌质黄，苔稍黄中厚，有齿痕，脉弱。肝功能检查：总胆红素 36 μmol/L，直接胆红素 17.1 μmol/L，谷丙转氨酶 621 U/L，谷草转氨酶 340 U/L，白蛋白 34.1 g/L，球蛋白 33.6 g/L，A/G 1.0。辨证为肝郁脾虚，积毒未尽。以疏肝健脾、软坚散结为法，自拟软肝利胆汤加减：柴胡 12 克，黄芩 12 克，半夏 12 克，红参 10 克，生姜 6 克，甘草 6 克，茯苓 20 克，白术 12 克，苍术 10 克，猪苓 15 克，麦芽 12 克，鸡内金 12 克，穿山甲 6 克。3 剂，每日 1 剂，水煎分 2 次服。3 日后患者复诊，症减，身痛，上方加防风 6 克，黄芪 30 克，叶下珠 20 克。7 剂，每日 1 剂，水煎分 2 次服。

2005 年 9 月 10 日第 10 诊，患者自觉精神好转许多，因骨髓抑制严重不愿意再进行化疗。根据其便稀，耳鸣，食欲不振，舌淡，苔白水滑，脉弱，辨证属肝胆湿热与脾肾阳虚并见，兼有血虚。当疏肝利胆，寒热并用，攻补兼施。仍以自拟软肝利胆汤加减：柴胡 12 克，黄芩 12 克，半夏 12 克，红参 10 克，生姜 6 克，甘草 6 克，茯苓 20 克，白术 12 克，苍术 10 克，猪苓 15 克，麦芽 12 克，鸡内金 12 克，穿山甲 6 克，干姜 10 克，桂枝 10 克，补骨脂 10 克。每日 1 剂，配合成药益血生胶囊口服。

2005 年 10 月 10 日第 15 诊，患者仍腹泻，舌有齿痕，脉弱。肝功能化验指标明显好转：总胆红素 9.6 µmol/L，直接胆红素 3.5 µmol/L，谷丙转氨酶 95.8 U/L，谷草转氨酶 115.5 U/L，白蛋白 38.8 g/L，球蛋白 37.6 g/L，A/G 1.0。上方加乌梅 12 克，五味子 15 克。每日 1 剂。

2005 年 10 月 27 日第 19 诊，患者大便已基本正常，食欲可，耳鸣减轻，略显乏力，面黄，又出现皮肤红疹瘙痒，腰以上明显，夜半尤甚，影响睡眠，舌淡胖，有齿痕，苔薄，脉弦。辨证：脾虚湿盛风生，在不离辨病之主题的基础上，应重视健脾安神。小柴胡汤加味：柴胡 10 克，黄芩 10 克，半夏 12 克，党参 10 克，炙甘草 6 克，茯苓 30 克，白术 12 克，苍术 10 克，黄芪 20 克，生龙骨 15 克，生牡蛎 15 克，酸枣仁 20 克。每日 1 剂。后增加地肤子 20 克，白藓皮 20 克。

2005 年 11 月 18 日第 24 诊，患者皮肤瘙痒消失，便稀，耳鸣，舌淡，苔白，脉弱。辨证属肝胆湿热仍在，肾阳虚大显。处方：柴胡 10 克，黄芩 12 克，半夏 12 克，红参 15 克，炙甘草 6 克，茯苓 20 克，白术 12 克，猪苓 15 克，黄芪 40 克，杜仲 12 克，补骨脂 12 克，菟丝子 12 克，淫羊藿 15 克，骨碎补 15 克，枸杞子 12 克，当归 12 克。每日 1 剂。

2006 年 1 月 9 日第 36 诊，患者自述近 40 多天病情稳定，近日精神略差，头痛，食欲减退，舌淡，苔薄，脉数。考虑患者中医治疗已 5 个多月，病情有反复，建议住院复查。化验结果：谷丙转氨酶 60.2 U/L，谷草转氨酶 74.5 U/L，血红蛋白 87 g/L，甲胎蛋白 24.5 ng/mL。B 超提示：①肝弥漫性病变；②肝内稍低回声——肝癌术后占位胸片提示：右第 5 肋骨腋段骨转移可能性大。患者及家属坚决拒绝进一步检查，要求出院保守治疗。继用上方减量，因便稀、耳鸣好转而停用温补肾阳药，并配合复方斑蝥胶囊口服。

2006 年 7 月 16 日第 76 诊,患者坚持用药,病情基本平稳,食欲略增,眠差,腹胀。舌红,苔薄黄,脉弦。复查总胆红素 21.7 μmol/L,直接胆红素 9.8 μmol/L,谷丙转氨酶 110 U/L,谷草转氨酶 95 U/L,甲胎蛋白 6.2 ng/mL。B 超提示:肝右后叶可探及一大小约 23 mm×18 mm 的稍低回声区。辨证属肝胆热毒未尽,仍当清利肝胆湿热,调气机,健脾气。自拟软肝利胆汤加减:柴胡 10 克,黄芩 10 克,半夏 12 克,红参 12 克,生姜 6 克,甘草 10 克,茯苓 30 克,白术 12 克,薏苡仁 30 克,黄芪 30 克,夏枯草 30 克,垂盆草 30 克,穿破石 20 克,鳖甲 30 克,厚朴 10 克,枳实 12 克。每日 1 剂。

2006 年 9 月 12 日第 91 诊,患者渐趋康复,精神、气色、行动、食欲、睡眠、二便已如常人,舌淡,有齿痕,脉弱。患者湿热毒邪已退,肝气虚当补,取《内经》辛酸补肝,甘以健脾之意。药用:桂枝 12 克,细辛 5 克,乌梅 10 克,白芍 12 克,甘草 6 克,黄芪 40 克,红参 12 克,苍术 12 克,白术 20 克,茯苓 20 克,薏苡仁 30 克。每日 1 剂。

2006 年 10 月 28 日第 104 诊,患者精神、气色、行动、食欲、睡眠、二便已如常人,舌淡,有齿痕,脉弱。继用上方巩固疗效。

2008 年 1 月 13 日第 206 诊,患者无明显不适,正常工作。9 个多月来,多次复查,B 超未再提示以前探及肝右后叶稍低回声区,肝功、甲胎蛋白均在正常范围。

按语:本例病案病情变化较多,除以自拟软肝利胆汤加减、小柴胡汤加味疏肝利胆作为辨病主方外,依病情适时变化,健脾温肾补肝、软坚散结、寒热并用、攻补兼施、主次分明、进退有度,又赖患者主意坚定、不见异思迁、持之以恒,获得了较好疗效。

除上述肝癌的治疗之外,还有关于黑疸的治疗。黑疸是《金匮要略》中首先提出的,也是我们很难和现在疾病相对应的条文。我在临床中发现,黑疸就是肝胆肿瘤的一个特殊证型,所以便在软肝利胆汤基础上强调了活血、健脾、补肾,组成了治疗黑疸的方子,多年来临床使用中效果非常好,《中医杂志》上曾有相关专题报道。曾有这样一个病例,一年轻患者有下肢静脉曲张,因黄疸在某三甲医院住院治疗,黄疸指数不降反升,后又转至某三甲中医院,黄疸指数始终徘徊在 440 左右。在这种情况下家属找到我。我开了一个方子让患者先吃着,随后让患者准备住院治疗。住院检查时,患者已经吃了五六剂药了,黄疸指数降至 360,但这并不能说明一定是我开的方子的效果。后来,家属一直没有用任何西医治疗措施,只使用我的方子进行治疗。当然我还在软肝利胆汤基础上取了柴胡桂枝干姜汤意。患者服用这个方子后,黄疸指数处于较好的下降趋势,不到一个月,就恢复至正常了,后来也没有反弹。现在,这个人已经出院三四年了,偶尔还会来我的门诊,已经完全恢复健康了。该病案的病机比较复杂,主要是湿热向寒湿转化,脾肾两虚、瘀血水饮互结所致,方子也比较长,我在这里不列组成了。

软肝利胆汤证是肝胆肿瘤的基本证型,但我经常在这个基础上加柴胡桂枝干姜汤,也就是疾病由湿热向寒湿转化后的应对之方。这就是辨病,也是在辨病条件下的辨证。尽管张仲景在柴胡桂枝干姜汤中提到了"心下有微结",虽不是很严重,但是提早温护肾阳,用干姜、桂枝是非常有效的药,值得我们发扬。在疾病后期,不仅用保肝利水汤,还常用猪苓汤,因为肝胆湿热成毒既可以造成脾虚气滞、血瘀水停,也可以造成阴虚水停,甚至以阴虚水停更加常见,更为棘手,这就需要我们突破既定的思维模式,重视养阴利水的作用。

如果是简单的脾虚水停,使用速尿(呋塞米)就能见效,而肿瘤后期往往是阴虚水停,用速尿(呋塞米)可能不起作用,在这种情况下就不能只利尿,强行利尿,用张仲景的话说就是"一逆尚引日,再逆促命期"。关于养阴利水,中医治疗的代表方剂是猪苓汤,但也不仅仅是猪苓汤。我的四个治疗肝胆肿瘤的系列方为:软肝利胆汤、保肝利水汤、柴胡桂枝干姜汤、猪苓汤。这就形成了辨病条件下辨证论治的体系,也体现了疾病由早到晚的基本过程。

关于小柴胡汤有一个治疗恶性淋巴瘤的病例和大家分享。患者于 2005 年 5 月被确诊为霍奇金淋巴瘤,化疗 9 次,放疗 2 次,从第 4 次化疗开始效果就不太明显了,患者就在我这里治疗,前后大约诊治了 38 次,到 2009 年 4 月,患者基本痊愈。当时我的治法是清解少阳,止咳化痰,也是以小柴胡汤为主方。处方:柴胡 12 克,黄芩 12,半夏 18 克,胆南星 8 克,夏枯草 30 克,山慈菇 15 克,土贝母 20 克,三棱 12 克,莪术 12 克,穿山甲 12 克,鳖甲 30 克,生牡蛎 30 克,全瓜蒌 20 克,桔梗 10 克,牛蒡子 10 克,甘草 10 克,八月札 10 克,红参 10 克。

经方溯源

《金匮要略·黄疸病脉证并治第十五》:黄家日晡所发热,而反恶寒,此为女劳得之。膀胱急,少腹满,身尽黄,额上黑,足下热,因作黑疸。其腹胀如水状,大便必黑,时溏,此女劳之病,非水也,腹满者难治,用硝矾散主之。

硝石矾石散方

硝石　矾石（烧）等分

上二味，为散，以大麦粥汁和服方寸匕，日三服。病随大小便去，小便正黄，大便正黑，是候也。

谷疸怎么治疗呢？可以用茵陈蒿汤。我写过一篇散文《学问如圆》，里面提到麻黄，这是我们第一个学的中药，几十年后，我发现对它的认识仍不够。《神农本草经》中麻黄"破症坚积聚"，指的是能治腹部肿瘤啊！这不是知识倒退，而是螺旋式地上升。关于茵陈蒿汤也是一样的，以前我们只知道用该方治疗黄疸、肝炎，对于因肝胆肿瘤导致的黄疸，我宁可用田基黄、垂盆草、鸡骨草，而对茵陈蒿汤这种治疗黄疸的常用方却不会用。在我提出"风邪入里成瘤说"之后，我也深刻地认识到食积成瘤这个被现代中医忽视的问题。张仲景在《金匮要略》讲的谷疸就有食积成瘤的意思。就其临床表现多次提到与食、眩晕的关系，"食谷即眩，谷气不消""食难用饱，饱则发烦头眩""寒热不食，食即头眩"。实际上，苔厚、脉滑也是食积的证据，而茵陈蒿汤就是谷疸的主方。再看《伤寒论》茵陈蒿汤的方证中的"则内外有热，身黄如橘子色"，好理解，但"头汗出，齐颈而还，腹满，小便不利，口渴"才是辨证眼目。就药物而言，茵陈，《神农本草经》"去伏瘕"已犹抱琵琶半遮面了。邹澍《本经证疏》："其所以能治此者，岂不为新叶因陈杆而生，清芬可以解郁热，苦寒可以泄停湿耶。"《神农本草经》明言大黄："破症瘕，积聚，留饮宿食，荡涤肠胃，推陈致新，通利水谷道，调中化食，安和五脏。"栀子利胆退黄自在不言中。《金匮要略》："诸黄，腹痛而呕者，与柴胡汤"。诸黄,自然包括谷疸以及肝胆肿瘤所致的黄疸了。无独有偶的是,柴胡,《神农本草经》言:"主治心腹,去肠胃中结气,饮食积聚,寒热邪气,推陈致新。久服轻身,明目,益精。"柴胡不仅能消食积,更重要的是和大黄一样,都能"推陈致新",这可是占了《神农本草经》中一共三次提到的推陈致新中的两次。如果将另一个推陈致新的硝石算上,其中两个能够治疗肝胆肿瘤的黄疸,另一个硝石矾石散能够治疗肝胆肿瘤晚期的黑疸,我用这几个经方治疗肿瘤就很有依据了。因为肿瘤可由代谢紊乱、细胞凋亡异常引起,推陈致新便可恢复人体正常的新陈代谢。如此广义的防癌、抗癌方药,若视而不见,岂非我辈之罪过乎。

　　近几十年,受现代医学的影响,中医的很多理念都被"丢弃"了。比如说"风为百病之长",我们都知道这一条,但是临床上有多少病是从风论治的?因为风来无影去无踪,对肿瘤科的大夫来说,这种虚无缥缈的、看不见摸不着的病因和有形的肿瘤很难联系在一起,但是我们也没有提出更新的说法,就像叶天士说的"养阴不在血,而在津与汗,通阳不在温,而在利小便"。新的说法没有提出来,旧的理念又被我们忘了,这也是中医临床阵地萎靡的一个原因。我提出了"风邪入里成瘤说"。一个理论的提出不是空穴来风,是要以方剂为依据的,因为方剂是连接理论和临床的桥梁,更能说明一些道理。如乌梅丸治疗胆道蛔虫、久痢,其中有些药的使用我们不一定理解,比如说川椒,方剂书中解释其散寒止痛,实际上川椒是祛风止痛药。《名医别录》中对花椒的解释是"除六腑寒冷,散风邪瘕结"。《日华子本草》中明确说花椒"破症结",我们认识花椒应该从祛风的角度理解。当然,如果从祛风的角度理解中药,当归养血祛风、细辛散寒祛风等都值得我们探讨。肠道的肿瘤传统上叫肠风脏毒。脏毒和肿瘤还有些许类似之处,而肠风常常被痔疮所代替。其实肠风就是肠道肿瘤的一个病名,风邪入肠也是形成肠道肿瘤的一个重要病机。中医是一门临床实践学科,在临床上有些患者会说自己肚子里有风,有些人却没有说,没有说我们凭什么认为有风存在呢?其实就是下痢,尤其是久痢,以前我们认为下痢是脾肾阳虚、寒湿困脾,很少有人想到风。风善行而数变,食物还未消化就从肠道出来了,所以风邪就是下痢的一个原因,痛泻要方里面用防风就有这个意思。乌梅丸风的表现还在于"气上撞心","撞"和"冲"应该是一个同义词,张仲景在不同地方用的不一样,这都是风邪在里的表现。关于肿瘤的症状学,是值得中医肿瘤专家下功夫研究的。我们治疗肿瘤,就是要把患者最痛苦的症状解决,使脏腑经络气机得到恢复,脏腑经络、阴阳气血平和了,患者就具有了防癌、抗癌的能力,使癌细胞没有生存的空间和环境。有个老太太因患肺癌在某肿瘤医院住院治疗,但其拉肚子的问题一直没有解决。她女儿找到我,希望我来治疗,患者住到我们科以后给予乌梅丸治疗,自从使用乌梅丸后患者一周都没有大便,这是因为之前患者的肠道已经排空了,当风邪祛除以后,粪便逐步积累有一个过程。此后老太太一直在我们科室住院治疗近半年多,解决了很多问题。

小建中汤非常有名,但是因为方中饴糖不好找,所以知道的人多、真正用过的人少。同时,大建中汤用得更少,为什么呢?因为我们对大建中汤的主药不清楚,我认为大建中汤的主药是花椒。大建中汤是祛风止痛的方剂,方中有花椒、人参、干姜、饴糖,以花椒为君药,扶正祛邪,祛风散寒止痛。大建中汤证"心胸中大寒痛,呕不能饮食,腹中寒,上冲皮起,出见有头足,上下痛而不可触近,大建中汤主之"。攻冲作痛是肠道风邪的一个指征,我们用以经解经的方法来解释,《金匮要略·腹满寒疝宿食病篇》就有"夫瘦人绕脐痛,必有风冷,谷气不行,而反下之,其气必冲,不冲者,心下则痞也",也就是说,攻冲作痛、绕脐痛、撞击痛就是风邪在胃肠道的表现。当以下痢为主症的时候是乌梅丸证,当以腹痛为主症的时候类似现在的不全性肠梗阻或肠梗阻。治疗肠梗阻我们多会使用大承气汤一类的通便药,为什么就没有想到祛风散寒、缓解挛急、止痛的大建中汤呢? 张仲景就是这样用的。认识到这个问题以后,就能更好地使用该方。有一个病案,一个从外科转来的患者,肠道肿瘤术后疼痛不能缓解,使用哌替啶(杜冷丁)也不起作用,其实就是因为患者太瘦了,出现了恶病质,这个时候用大建中汤最为对症。结果患者用了 3 天大建中汤后,疼痛就止住了。这也说明"言不可治者,未得其术也"。

薯蓣丸我们非常熟悉,岳美中等老一代的专家非常推崇该方,但是始终没有说清楚该方为什么好,或者说没有让我们心服口服真正理解的理论。从风邪入手解释,我认为薯蓣丸就是祛风的。张仲景说得很清楚:"虚劳诸不足,风气百疾,薯蓣丸主之。"为什么说得这么简单呢? 连症状都没有讲。因为症状太多了,五花八门,干脆就都不讲了,直接说病因病机得了。当在临床上,包括肿瘤在内的许多消耗性疾病到了最后,寒热错杂,症状迭出,医生没有办法抓住主证时,抓住风邪就有提纲挈领、执简驭繁的作用,这也是我们治疗疾病从复杂到简单的办法。抓住主要病机,当主要病机解决了,其他病机也就迎刃而解了。当然,越是危重病用药越要少。"虚劳诸不足"是慢性消耗性疾病,张仲景用薯蓣丸。薯蓣就是山药,山药能干什么呢? 山药能祛风,这是被我们忽略了的。在《本草纲目》中对山药总结了四句话,前两句就有"祛冷风、头面游风,强筋骨,壮脾胃"。我说薯蓣丸是祛风剂,除了山药本身以祛风为主以外,人参、茯苓、甘草培土息风,当归、地黄、芍药、川芎养血息风,麦冬、阿胶滋阴息风,柴胡、防风、桂枝解表祛风,都是配合山药的祛风来组成的,这就是张仲景的高明之处,如果不从这个角度理解,很难想通他为什么要用这些药。活血祛风张仲景用红蓝花酒,"妇人六十二种风,及腹中血气刺痛,红蓝花酒主之。"红花就是活血祛风药。《备急千金要方》中治多种积聚用万病积聚丸,孙思邈也用了这样执简驭繁的方法,这个方子只有一味药,蒺藜。蒺藜就是祛风治肿瘤的药。《神农本草经》中讲蒺藜"主恶血,破癥结积聚"。现代也有人用蒺藜作为治疗乳腺癌的药,疏肝祛风,这是值得我们学习的。

经方溯源

《金匮要略·腹满寒疝宿食病脉证治第十》:夫瘦人绕脐痛,必有风冷,谷气不行,而反下之,其气必冲,不冲者,心下则痞也。

心胸中大寒痛,呕不能饮食,腹中寒,上冲皮起,出见有头足,上下痛而不可触近,大建中汤主之。

大建中汤方

蜀椒二两,去汗　干姜四两　人参二两

上三味,以水四升,煮取二升,去滓,内胶饴一升,微火煎取一升半,分温再服;如一炊顷,可饮粥二升,后更服,当一日食糜,温覆之。

《金匮要略·血痹虚劳病脉证并治第六》:虚劳诸不足,风气百疾,薯蓣丸主之。

薯蓣丸方

薯蓣三十分　当归十分　桂枝十分　曲十分　干地黄十分 豆黄卷十分　甘草二十八分　人参七分　川芎六分　芍药六分 白术六分　麦冬六分　杏仁六分　柴胡五分　桔梗五分　茯苓五 分　阿胶七分　干姜三分　白敛二分　防风六分　大枣百枚为膏

上二十一味，末之，炼蜜和丸，如弹子大，空腹酒服一丸，一百丸为剂。

我们学经方的目的是治病，学术是一脉相承的，所以张仲景的方是经方，孙思邈的方也是经方。我在研究生阶段学的是伤寒，毕业十年以后，就把精力转到了《千金方》上。1998年出了一本书叫作《120首千金方研究》。孙思邈六千多首方剂中，我们真正用到的并不多。我当时采取的方法是，凡是孙思邈用过的，自己用过的，或是后代医家用过的，只要有文献就找出来，从六千多首中找出了120首进行整理。这其中让我最受益的有两个方子。第一个是独活寄生汤，它是我治疗肿瘤骨转移、多发性骨髓瘤的基本方。表面上看独活寄生汤中并没有抗肿瘤药，但它针对的病机是肝肾亏虚、气血不足、风寒入中、痹阻不通，符合肿瘤骨转移的基本病机，更主要的是根据现代药理学研究，它的15味药中有11味药都有抗肿瘤作用。这是我当时从《千金方》中研究与肿瘤领域相关内容的开始。我在原第四军医大学带的第一个研究生张若楠，其课题做的就是独活寄生汤抗肿瘤作用的实验研究。实验证明，在离体的条件下，该方对肿瘤细胞也有杀伤作用，大大出乎我们意料。多糖类物质是我们发现最早的中药抗癌的有效成分。

除了"风邪入里成瘤说"外，我还提出了"寒热胶结致癌论"。古代医家对比如食管癌、胃癌的治疗争论不休，各自主张不一样，站在现代的观点来看，当时由于多种原因，诊断不明确，患者医疗需求也不高，像我们现在这样连续治疗几年的机会比较少，所以看到的肿瘤很多都是片面的，有说寒的，也有说热的。事实上，单纯的寒、单纯的热都不足以造成肿瘤，这是寒热胶结的结果。到明代张景岳时已经看到了这一点，所以他举的一些例子、一些药实质上也是寒热并用的，他说"皆属良法美意"等，但是当时并没有提出理论。我提出"寒热胶结致癌论"的具体证据也是以经方作为支撑的。比如说半夏泻心汤就是胃癌的基本方，寒热并用、补虚泻实、辛开苦降，非常符合胃癌的基本病机。我在其基础上加了瓦楞子、浙贝母、海螵蛸等组成基本方。从临床来看，胃癌的寒热胶结证型占到十之七八。我的徒弟周婷写了一篇文章《王三虎治疗胃癌的常与变》，"常"指半夏泻心汤，"变"就是四神丸、麦门冬汤等，虽然应用的比例非常少，但是在临床上还是能见到的。由此可以看出理法方药，理要先行，且理法方药要成体系。

大家知道黄土汤是治疗阳虚便血的，阳虚便血究竟是什么病？如果不从寒热胶结理解，大家可能认为它有点类似痔疮，但其实痔疮基本上不会造成阳虚便血。黄土汤本身也并不仅仅是温补脾阳止血的，其中的黄芩、生地黄被我们忽略了。我认为黄芩、生地黄是用来制约该方的温燥之性的，是寒热并用的，用于治疗大肠癌晚期出血，因为出血多了，导致阴损及阳，这是治疗寒热胶结的一个好方子。同时，用以经解经也是一个好的思路，黄土汤中有"吐血者，柏叶汤主之"。如果用"寒热胶结"的观点看，柏叶汤治疗的是胃癌吐血，所以干姜、艾叶、侧柏叶寒热并用止血，下面的条文不言而喻也是寒热并用的，站在这个角度讲就容易被大家理解了。

有个病案,融安县一个退休干部,患食管癌,在我这里治疗了三年,突然大出血,禁食,他老伴到柳州找我开方。我认为患者不能长期禁食,不用药瘀血除不去,旧血不去,新血不生。治疗采取简单的柏叶汤方法:艾叶、人参、炮姜、大黄。结果效果出乎意料得好。

还有一个方子,薏苡附子败酱散。用我的观点看,该方是治疗肠道肿瘤寒热胶结的一个方剂,薏苡仁的有效成分(康莱特)被提取出来作为抗肿瘤药物使用,疗效确实。其中附子和败酱草寒热并用,就是针对肠道肿瘤的一种特殊配伍,我在临床上就是这样用的。

还有一个例子是温经汤。温经散寒的汤剂中为什么有麦冬、牡丹皮?张仲景的条文中哪一条是寒?"手掌烦热,唇口干燥"恰恰说的是热。实际上张仲景在《金匮要略》正是这种"略于常而详于变"的风格。还有妇科肿瘤,张仲景在温经汤前早就说过"寒入胞门",几十种妇科病都与风寒有关。现在我们一说癌症就是环境污染,固然有环境污染的原因,但是也不能以偏概全。超短裙也好,穿的单薄也好,经期受寒也好,都是寒邪从下而入造成肿瘤的一个重要原因。

经方溯源

《金匮要略·惊悸吐血下血胸满瘀血病脉证治第十六》:吐血不止者,柏叶汤主之。

柏叶汤方

侧柏叶三两　干姜三两　艾三把

上三味,以水五升,取马通汁一升,合煮取一升,分温再服。

《金匮要略·惊悸吐血下血胸满瘀血病脉证治第十六》:下血,先便后血,此远血也,黄土汤主之。

黄土汤方

甘草三两　干地黄三两　白术三两　附子三两,炮　阿胶三两　黄芩三两　灶中黄土半斤

上七味,以水八升,煮取三升,分温二服。

《金匮要略·疮痈肠痈浸淫病脉证并治第十八》:肠痈之为病,其身甲错,腹皮急,按之濡,如肿状,腹无积聚,身无热,脉数,此为腹内有痈脓,薏苡附子败酱散主之。

薏苡附子败酱散方

薏苡仁六十分　附子二分　败酱草五分

上三味,杵末,取方寸匕,以水二升,煎减半,顿服。(小便当下)

《金匮要略·妇人杂病脉证并治第二十二》：问曰：妇人年五十，所病下利数十日不止，暮即发热，少腹里急，腹满，手掌烦热，唇口干燥，何也？师曰：此病属带下。何以故？曾经半产，瘀血在少腹不去，何以知之？其证唇口干燥，故知之。当以温经汤主之。

温经汤方

吴茱萸三两　　当归二两　　川芎二两　　芍药二两　　人参二两
桂枝二两　　阿胶二两　　生姜二两　　牡丹皮二两，去心　　甘草二两
半夏半升　　麦冬一升，去心

上十二味，以水一斗，煮取三升，分温三服，亦主妇人少腹寒，久不受胎，兼取崩中去血，或月水来过多，及至期不来。

"燥湿相混致癌论"是我提出的另一个观点。这个观点的支撑方剂我在肺痿部分已经讲过了，就是麦门冬汤。另外，还有瓜蒌瞿麦丸，方中用瓜蒌根（天花粉）滋阴润燥，消疮排脓，又用瞿麦利水。它是治疗泌尿系统肿瘤的一个非常好的方子，也是针对燥湿相混病机的。另外，还有当归贝母苦参丸，用以药测证的方法来解释该方，其中当归养血润燥，贝母润肺止咳，苦参燥湿，三药相配伍，是我治疗膀胱癌的主方。我的"燥湿相混致癌论"中就有以当归贝母苦参丸作为治疗用药的例子。曾有个病案，患者因膀胱癌，尿道疼痛明显就诊。我当时治疗就用的当归贝母苦参丸，效果非常好，所以印象深刻。

经方溯源

《金匮要略·消渴小便不利淋病脉证并治第十三》：小便不利者，有水气，其人若渴，瓜蒌瞿麦丸主之。

瓜蒌瞿麦丸方

瓜蒌根二两　茯苓三两　薯蓣三两　附子一枚，炮　瞿麦一两

上五味，末之，炼蜜丸梧子大，饮服三丸，日三服，不知，增至七八丸，以小便利，腹中温为知。

《金匮要略·妇人妊娠病脉证并治第二十》：妊娠小便难，饮食如故，当归贝母苦参丸主之。

当归贝母苦参丸方

当归四两　贝母四两　苦参四两　男子加滑石半两

上三味，末之，炼蜜丸如小豆大，饮服三丸，加至十九。

"寒热胶结致癌论"也好，"风邪入里成瘤说""燥湿相混致癌论"也罢，都是站在肿瘤医生的角度看问题的，实际上这多是疑难病的基本病机。说到这里还有个例子，我的一个老乡因小便频数找到我，我使用清热利湿的八正散进行治疗，因为我认为湿热下注也可引起小便频数。既然患者能从老家到西安来找我看病，肯定

之前已经用过常规的补肾缩尿方法了，我如果还开补肾缩尿方，意义不大。所以在这种情况下，我一般采用清热利湿或通大便泻热的方法来治疗。后来，有一次患者又犯了此病，服用以前的方子也没有效果，我便改用当归贝母苦参丸进行治疗。该方虽只有三味药，效果竟然出奇得好。该患者后来也帮助我积累了很多患者群。

我不仅从《千金方》中学到了独活寄生汤，还学到了三物黄芩汤。三物黄芩汤实际上在《金匮要略》中就出现了，是被宋代林亿等选录至《金匮要略》中，补充其不足的，就像千金苇茎汤，不是张仲景的方子，编入《金匮要略》才叫千金苇茎汤，可见经方也需要发展，历代医家功不可没。三物黄芩汤就是我学习中拾到的一个宝贝，生地黄清热凉血、解毒滋阴，黄芩既能清实热、清湿热，还能清虚热、清血热，再加上苦参清热燥湿，其燥性被生地黄纠正，所以三物黄芩汤是治疗大肠肿瘤的基本方。我认为大肠癌的基本病机是大肠热毒、阴伤、湿邪下注同时并见。有一个病案，我一个远房亲戚因为经济困难，且要在家伺候八十岁的老母亲，所以直肠癌手术后，化疗还没做完，就要求用中药治疗。我就用了最基本的三物黄芩汤，略有加减进行治疗。他每来一次总是抓几十剂药，前后治疗了几年，现在仍然健在，他母亲也早已过了百岁。这个案例中我抓住了患者的基本病机，用药就能简练，若抓不住基本病机，用药就无法简练，经方就是这么奇妙。比如肠癌术后，舌苔黄厚，舌面干燥的基本病机就是大肠热毒、阴液内伤。西安曾有个肠癌患者，在我这治疗了十年以上，每次用药也不多，就是三物黄芩汤，他一直坚持用药，疾病没有复发，患者也非常满意。

方剂是中医理论体系中的精华，上接理论，下接临床，有方有药，是实实在在的中医宝库中的现成"武器"，我们拿起来就能用。我们要熟悉武器的性能，也要扩展其性能，如果没有方剂做基础，就像现成武器不拿,反拿些矿石回去自己炼,效果就打折扣了。经方尤其是张仲景的方剂,是方剂中的精华,值得我们重视,抓住了经方就是抓住了中医的根。以上是我边学习、边临床实践的一些感悟,和国内经方大家(如黄煌教授、仝小林教授、王琦教授等)相比那就差远了。

经方溯源

《金匮要略·妇人产后病脉证治第二十一》:《千金》三物黄芩汤,治妇人在草蓐,自发露得风。四肢苦烦热,头痛者,与小柴胡汤,头不痛但烦者,此汤主之。

三物黄芩汤方

黄芩一两　苦参二两　干地黄四两
上三味,以水八升,煮取二升,温服一升,多吐下虫。

在近年的临床实践和感悟中,我提出了肿瘤可从六经论治的观点。

大家公认的《伤寒论》中直接描述肿瘤的条文确切说只有第167条:"病胁下素有痞,连在脐傍,痛引少腹,入阴筋者,此名藏结,死。"但经典就是经典,《伤寒论》作为中医非常重要的经典著作,也具有经典著作所具有的"初读还比较好理解,每一次读都有不同感受,常读常新"的特质。我读《伤寒论》40余年,感悟颇多。但在2008年7月我的代表作《中医抗癌临证新识》定稿之时,我还不能明确《伤寒论》与肿瘤有多大关系。之后六年多,我的临床阅历逐渐丰富,对经方的感悟愈多,顿觉《伤寒论》与肿瘤有千丝万缕的联系,不写不足以释然,唯有一吐为快。

《伤寒杂病论》自晋代王叔和重新编次改名为《伤寒论》以来,不少医家很长时间以来认为书中的六经辨证理论只适于指导外感病,直至清代,才有人提出了不同意见。如柯韵伯说:"仲景之六经,为百病立法,不专为伤寒一科,伤寒杂病,治无二理,咸归六经之节制。"余根初在《通俗伤寒论》中首次提出"以六经钤百病,为确定之总诀"。当代医家陈亦人后来居上,对"六经钤百病"有所发挥。但百病是否包括肿瘤,却并不明确,只能以事实为依据、理通为准绳。

太阳经主人体之表,为诸经之藩篱。风为百病之长,风邪袭人,太阳首当其冲。风寒袭表,肺失宣降,津液不循常道,到处流动成饮,日久凝聚成痰,不仅阻塞气道,也可阻塞食管,进而造成气机滞涩,吞咽不利。一方面,痰饮上犯,吐涎沫不绝;另一方面,脏腑失去濡润,肠道干涩,便如羊屎。这两个症状就是判断食管肿瘤预后的金标准。吐涎沫越多,大便越干涩难解,预后越差。对于舌体胖大,阳虚明显者,我经常用小青龙汤原方即能获效,可谓阴霾散尽,阳回津生。风邪随经入腑,影响膀胱气化,水津不布,少腹乃至腹部胀大、下肢水肿不消,这是恶性肿瘤患者常见的难症,五苓散就是其对症之方。若血水互结,或寒邪化热,伤血动血,瘀血在少腹不去,硬满疼痛,则多见于腹部尤其是妇科恶性肿瘤,我取抵当汤的水蛭、虻虫活血化瘀,力量强大而不伤正气。其中水蛭用 12 克,虻虫用 3 克,都已经高出现行版《中国药典》中的 3 克和 1.5 克的常用量,这一用量是我根据《伤寒论》抵当汤中用水蛭三十个、虻虫三十个而来的,我不认为汉代的水蛭、虻虫比现代的小那么多。寒主凝涩,与风相合,深入经络脏腑,损筋伤骨,疼痛难忍，表现在肿瘤临床往往是癌症骨转移的症候，与麻黄汤证的"头痛身痛，骨节疼痛"常有相合，可大胆用之。阳和汤用麻黄，《日华子诸家本草》谓麻黄"破症坚积聚"，良有以也。麻黄是我们学的第一个中药，麻黄汤则是第一个方剂。但是，好多中医，一辈子都没有用麻黄汤的机会。因为教材中讲，麻黄发汗力强，麻黄汤是发汗之峻剂。实际上，麻黄用 12 克，也未必能达到汗出透彻的效果。所以，张锡纯用麻黄汤加知母，越婢汤加阿司匹林，均是增强其发汗作用的。还有，太阳病变证的半夏泻心汤证，进一步发展，就由寒热错杂到"寒热胶结"了，这是我在临床上治疗胃癌的基本方。

经方溯源

《伤寒论》124 条：太阳病六七日，表证仍在，脉微而沉，反不结胸，其人发狂者，以热在下焦，少腹当硬满。小便自利者，下血乃愈。所以然者，以太阳随经，瘀热在里故也。抵当汤主之。

抵当汤方

水蛭三十个，熬　虻虫三十个，熬，去翅足　桃仁二十个，去皮尖　大黄三两，酒浸

上四味为末，以水五升，煮取三升，去滓，温服一升，不下再服。

《伤寒论》125 条：太阳病，身黄，脉沉结，少腹硬。小便不利者，为无血也。小便自利，其人如狂者，血证谛也。抵当汤主之。

《伤寒论》237 条：阳明证，其人喜忘者，必有蓄血。所以然者，

本有久瘀血,故令喜忘。屎虽硬(康平本做"屎虽难"),大便反易,其色必黑者,宜抵当汤下之。

《伤寒论》257条:患者无表里证,发热七八日,虽脉浮数者,可下之。假令已下,脉数不解,合热则消谷喜饥,至六七日不大便者,有瘀血,宜抵当汤。

《金匮要略·妇人杂病脉证并治第二十二》:妇人经水不利下,抵当汤主之。亦治男子膀胱满急有瘀血者。

阳明经包括胃与大肠。火热内盛之人,邪已入阳明易化热成积,腑气不通。便秘是肿瘤患者临床上特别常见的症状,往往要从治疗阳明经入手。三承气汤、麻子仁丸自然常用,但因肿瘤患者的特殊性,单纯使用原方的机会不多,使用时需执其法而不拘其方。而且,就像《金匮要略》应用大承气汤一样,远不如《伤寒论》中那么严格,事实上,攻通之力也没有想象的那么大。我还体会到,便秘之所以难治,一是患者使用吗啡类止痛药的副作用太大,二是三承气汤的症状不典型,还有一个可能是麻子仁丸还不够全面或完善。麻子仁丸中用白芍通便已经超出一般中医的常识了,但不用石膏却较难理解。既然脾受约束不能为胃行其津液,光润肠通便是不行的,一定要解决为什么脾受约束的问题。"浮则胃气强",胃热太盛,伤津耗液才是关键,经证和腑证,可以并见。胃与肠直接相通,紧密关联,唇齿相依。《伤寒论》中"胃中必有燥屎五六枚",泻胃火才是"釜底抽薪",比直接通便效果更好,而石膏就是不二之选。我经常在麻子仁丸的基础上加生石膏30克,甚至90克,通便效果很好。

经方溯源

《伤寒论》29条：伤寒脉浮，自汗出，小便数，心烦，微恶寒，脚挛急，反与桂枝汤，欲攻其表，此误也。得之便厥，咽中干，烦躁，吐逆者，作甘草干姜汤与之，以复其阳。若厥愈、足温者，更作芍药甘草汤与之，其脚即伸。若胃气不和，谵语者，少与调胃承气汤。若重发汗，复加烧针者，四逆汤主之。

调胃承气汤方

大黄四两，去皮，清酒洗　甘草二两，炙　芒硝半斤

上三味㕮咀，以水三升，煮取一升，去滓，内芒硝更上火微煮，令沸，少少温服。

《伤寒论》70条：发汗后，恶寒者，虚故也；不恶寒，但热者，实也，当和胃气，与调胃承气汤。

《伤寒论》94条：太阳病未解，脉阴阳俱停，必先振栗汗出而解。但阳脉微者，先汗出而解；但阴脉微者，下之而解。若欲下之，宜调胃承气汤。

《伤寒论》105条：伤寒十三日，过经谵语者，以有热也，当以汤下之。若小便利者，大便当硬，而反下利，脉调和者，知医以丸药下之，非其治也。若自下利者，脉当微厥；今反和者，此为内实也。调胃承气汤主之。

《伤寒论》123条：太阳病，过经十余日，心下温温欲吐，而胸中痛，大便反溏，腹微满，郁郁微烦，先此时自极吐下者，与调胃承气

汤。若不尔者，不可与。但欲呕，胸中痛，微溏者，此非柴胡汤证，以呕，故知极吐下也。

《伤寒论》207条：阳明病，不吐不下，心烦者，可与调胃承气汤。

《伤寒论》248条：太阳病三日，发汗不解，蒸蒸发热者，属胃也。调胃承气汤主之。

《伤寒论》249条：伤寒吐后，腹胀满者，与调胃承气汤。

《伤寒论》208条：阳明病脉迟，虽汗出，不恶寒者，其身必重，短气腹满而喘，有潮热者，此外欲解，可攻里也，手足濈然而汗出者，此大便已硬也，大承气汤主之；若汗多微发热恶寒者，外未解也，其热不潮，未可与承气汤；若腹大满不通者，可与小承气汤，微和胃气，勿令大泄下。

大承气汤方

大黄四两，酒洗　厚朴半斤，炙，去皮　枳实五枚，炙　芒硝三合

上四味，以水一斗，先煮二物，取五升，去滓，内大黄，煮取二升，去滓，内芒硝，更上微火一两沸，分温再服。得下，余勿服。

《伤寒论》209条：阳明病，潮热，大便微硬者，可与大承气汤；不硬者，不与之。若不大便六七日，恐有燥屎，欲知之法，少与小承气汤，汤入腹中，转矢气者，此有燥屎，乃可攻之；若不转矢气者，此但初头硬，后必溏，不可攻之，攻之，必胀满不能食也。欲饮水者，与水则哕。其后发热者，必大便复硬而少也，以小承气汤和之。不转矢气者，慎不可攻也。

《伤寒论》212条：伤寒若吐、若下后，不解，不大便五六日，上至

十余日，日晡所发潮热，不恶寒，独语如见鬼状。若剧者，发则不识人，循衣摸床，惕而不安，微喘直视，脉弦者生，涩者死，微者但发热谵语者，大承气汤主之，若一服利，止后服。

《伤寒论》213条：阳明病，其人多汗，以津液外出，胃中燥，大便必硬，硬则谵语，小承气汤主之。若一服谵语止，更莫复服。

《伤寒论》214条：阳明病，谵语发潮热，脉滑而疾者，小承气汤主之。因与承气汤一升，腹中转矢气者，更服一升；若不转矢气，勿更与之。明日不大便，脉反微涩者，里虚也，为难治，不可更与承气汤也。

《伤寒论》215条：阳明病，谵语有潮热，反不能食者，胃中必有燥屎五六枚也。若能食者，但硬耳，宜大承气汤下之。

《伤寒论》216条：阳明病，下血谵语者，此为热入血室；但头汗出者，刺期门，随其实而泻之，濈然汗出则愈。

《伤寒论》217条：汗出谵语者，以有燥屎在胃中，此为风也，须下之，过经乃可下之。下之若早，语言必乱，以表虚里实故也。下之则愈，宜大承气汤。

《伤寒论》220条：二阳并病，太阳证罢，但发潮热，手足漐漐汗出，大便难而谵语者，下之则愈，宜大承气汤。

《伤寒论》238条：阳明病，下之，心中懊憹而烦，胃中有燥屎者，可攻。腹微满，初头硬，后必溏，不可攻之。若有燥屎者，宜大承气汤。

《伤寒论》240条：患者烦热，汗出则解，又如疟状，日晡所发热者，属阳明也。脉实者，宜下之；脉浮虚者，宜发汗。下之，与大承气汤，发汗，宜桂枝汤。

《伤寒论》241条：大下后，六七日不大便，烦不解，腹满痛者，此有燥屎也。所以然者，本有宿食故也。宜大承气汤。

《伤寒论》242条：患者小便不利，大便乍难乍易，时有微热，喘冒（一作怫郁）不能卧者，有燥屎也。宜大承气汤。

《伤寒论》251条：得病二三日，脉弱，无太阳柴胡证，烦躁，心下硬，至四五日，虽能食，以小承气汤少少与微和之，令小安，至六日，与承气汤一升。若不大便六七日，小便少者，虽不受食，但初头硬，后必溏，未定成硬，攻之必溏。须小便利，屎定硬，乃可攻之。宜大承气汤。

《伤寒论》252条：伤寒六七日，目中不了了，睛不和，无表里证，大便难，身微热者，此为实也。急下之，宜大承气汤。

《伤寒论》253条：阳明病，发热汗多者，急下之，宜大承气汤。

《伤寒论》254条：发汗不解，腹满痛者，急下之，宜大承气汤。

《伤寒论》255条：腹满不减，减不足言，当下之，宜大承气汤。

《伤寒论》256条：阳明少阳合病，必下利。其脉不负者，为顺也。负者，失也，互相克贼，名为负也。脉滑而数者，有宿食也，当下之，宜大承气汤。

《伤寒论》320条：少阴病，得之二三日，口燥咽干者，急下之，宜大承气汤。

《伤寒论》321条：少阴病，自利清水，色纯青，心下必痛，口干燥者，急下之，宜大承气汤。

《伤寒论》322条：少阴病，六七日，腹胀不大便者，急下之，宜大承气汤。

《金匮要略·痉湿暍病脉证治第二》：痉为病，一本痉字上有刚字，胸满口噤，卧不着席，脚挛急，必齘齿，可与大承气汤。

《金匮要略·腹满寒疝宿食病脉证治第十》：腹满不减，减不足言，当须下之，宜大承气汤。

《金匮要略·腹满寒疝宿食病脉证治第十》：问曰：人病有宿

食,何以别之? 师曰:寸口脉浮而大,按之反涩,尺中亦微而涩,故知有宿食,大承气汤主之。

《金匮要略·腹满寒疝宿食病脉证治第十》:脉数而滑者,实也,此有宿食,下之愈,宜大承气汤。

《金匮要略·腹满寒疝宿食病脉证治第十》:下利不饮食者,有宿食也,当下之,宜大承气汤。

《金匮要略·呕吐哕下利病脉证治第十七》:下利,三部脉皆平,按之心下坚者,急下之,宜大承气汤。

《金匮要略·呕吐哕下利病脉证治第十七》:下利,脉迟而滑者,实也。利未欲止,急下之,宜大承气汤。

《金匮要略·呕吐哕下利病脉证治第十七》:下利,脉反滑者,当有所去,下乃愈,宜大承气汤。

《金匮要略·呕吐哕下利病脉证治第十七》:下利已差,至其年月日时复发者,以病不尽故也,当下之,宜大承气汤。

《金匮要略·妇人产后病脉证治第二十一》:病解能食,七八日更发热者,此为胃实,大承气汤主之。

《金匮要略·妇人产后病脉证治第二十一》:产后七八日,无太阳证,少腹坚痛,此恶露不尽。不大便,烦躁发热,切脉微实,再倍发热,日晡时烦躁者,不食,食则谵语,至夜即愈,宜大承气汤主之。热在里,结在膀胱也。

《伤寒论》208条:阳明病,脉迟,虽汗出,不恶寒者,其身必重,短气,腹满而喘,有潮热。有潮热者,此外欲解,可攻里也。手足濈然汗出者,此大便已硬也。大承气汤主之。若汗多,微发热恶寒者,外未解也,其热不潮,未可与承气汤,若腹大满不通者,可与小承气汤微和胃气,勿令至大泄下。

小承气汤方

大黄四两,酒洗　厚朴二两,炙,去皮　枳实三枚大者,炙

以上三味,以水四升,煮取一升二合,去滓,分温二服。初服汤,当更衣,不尔者,尽饮之;若更衣者,勿服之。

《伤寒论》209 条:阳明病,潮热,大便微硬者,可与大承气汤。不硬者,不可与之。若不大便六七日,恐有燥屎,欲知之法,少与小承气汤,汤入腹中,转矢气者,此有燥屎也,乃可攻之;若不转矢气者,此但初头硬,后必溏,不可攻之,攻之必胀满不能食也。欲饮水者,与水则哕。其后发热者,必大便复硬而少也,以小承气汤和之。不转矢气者,慎不可攻也。

《伤寒论》213 条:阳明病,其人多汗,以津液外出,胃中燥,大便必硬,硬则谵语,小承气汤主之。若一服谵语止者,更莫复服。

《伤寒论》214 条:阳明病,谵语,发潮热,脉滑而疾者,小承气汤主之。因与承气汤一升,腹中转气者,更服一升,若不转气者,勿更与之。明日又不大便,脉反微涩者,里虚也,为难治,不可更与承气汤也。

《伤寒论》250 条:太阳病,若吐、若下、若发汗后,微烦,小便数,大便因硬者,与小承气汤和之愈。

《伤寒论》251 条:得病二三日,脉弱,无太阳柴胡证,烦躁,心下硬,至四五日,虽能食,以小承气汤少少与微和之,令小安,至六日,与承气汤一升。若不大便六七日,小便少者,虽不受食,但初头硬,后必溏,未定成硬,攻之必溏。须小便利,屎定硬,乃可攻之。宜大承气汤。

《伤寒论》374 条：下利，谵语者，有燥屎也，宜小承气汤。

《金匮要略·呕吐哕下利病脉证治第十七》：下利谵语者，有燥屎也，小承气汤主之。

少阳经包括三焦经和胆经，表里之间，枢纽所在。还由于肝胆相连的原因，治疗肝胆恶性肿瘤，我常以小柴胡汤为基本方。其实，小柴胡汤的加减法中就有"胁下痞硬者去大枣加牡蛎"的明示，小柴胡汤寒热并用、补泻兼施的特点也符合恶性肿瘤寒热胶结、正虚邪实的基本病机。尤其是肝癌、胆囊癌引起的恶性腹水，小柴胡汤通利三焦水道的作用不可或缺，配合五苓散化气行水，确有其效。而肝癌、胆囊癌引起的黄疸，常配合阳明病篇的茵陈蒿汤、栀子柏皮汤清热利湿退黄，通利肝胆气机。柴胡桂枝干姜汤治疗湿热向寒湿转化，或湿热未尽，脾肾阳虚，阴寒已见，虽是我的心得，但三承气汤、麻子仁丸也是从张仲景《伤寒论》259 条"伤寒发汗已，身目为黄，所以然者，以寒湿在里不解故也。以为不可下也，于寒湿中求之"中悟出来的。

少阳风火相煽，炼津成痰，日久成毒成块，阻塞经络隧道。颈项、腋下、腹股沟淋巴结肿大经常是恶性淋巴瘤的临床表现，局限在颈前的瘿瘤，质硬不平则往往是甲状腺癌的表现，我均以小柴胡汤加味取效。

在临床上，肿瘤患者的发热既常见又难医。其中常见的往往是感冒引起的发热恶寒，头痛身痛，或寒热往来，头晕目眩，面色通红，口干口渴，舌苔薄，脉数。我一般采用"三阳合病，治从少阳"的思路进行治疗。小柴胡汤和麻黄汤（或桂枝汤，关键在有汗无汗、有无咳喘），以及白虎汤同用，常能取效迅速。

太阴病的提纲几乎就是对腹部恶性肿瘤或肿瘤晚期常见表现的高度概括以及提示。肿瘤的病因、病机固然复杂,但在这样的持久战中顾护脾胃确实是战略要点。寒邪是肿瘤产生的重要原因,用四逆辈当无异议,就点到为止了。重要的是同中有异,不要一见腹泻就止泻。《伤寒论》278 条"至七八日,虽暴烦下利日十余行,必自止,以脾家实,腐秽当去故也",这在临床上太重要了。许多健脾益气药服后患者腹泻,只有先哲的条文才能指点迷津。不仅如此,张仲景也在太阴病寥寥八条中从反面告诉我们,芍药有良好的通便作用,"太阴为病,脉弱,其人续自便利,设当行大黄芍药者,宜减之,以其人胃气弱,易动故也。"试想,与大黄相提并论的芍药,难道不是我们应该牢记的通便药吗?

经方溯源

《伤寒论》279 条:本太阳病,医反下之,因而腹满时痛者,属太阴也,桂枝加芍药汤主之。大实痛者,桂枝加大黄汤主之。

桂枝加芍药汤方

桂枝三两,去皮　芍药六两　甘草二两,炙　大枣十二枚,擘生姜三两,切

上五味,以水七升,煮取三升,去滓,温分三服。本云桂枝汤,今加芍药。

桂枝加大黄汤方

桂枝三两,去皮　大黄二两　芍药六两　生姜三两,切　甘草二两,炙　大枣十二枚,擘

上六味,以水七升,煮取三升,去滓。温服一升,日三服。

《伤寒论》280 条:太阴为病,脉弱,其人续自便利,设当行大黄、芍药者,宜减之,以其人胃气弱,易动故也。

"少阴之为病,脉微细,但欲寐也",微为阳虚,细为阴虚,百病之晚期,均涉及少阴心肾,肿瘤亦然。但阳虚易解,阴虚常被忽视。所以,少阴病更应重视阴液的耗伤。少阴三急下,不比回阳同样急迫吗?少阴病,人体之阴阳不足,极易造成阴阳离决,所以要洞察秋毫,见微知著。恶性肿瘤到了晚期,患者若三天不能入眠,阴液将不复存在。所以,在这个紧要关头,让患者好好入睡是最要紧的事。《伤寒论》303 条"少阴病,得之二三日以上,心中烦,不得卧,黄连阿胶汤主之"。有人可能还不理解治失眠的黄连阿胶汤为什么前面冠以"少阴病",简单地说,这个时候"少阴病"患者就是 ICU 病房(重症监护病房)的患者,安然入眠,远比补液更能顾护真阴。2004 年我到柳州参加一名胰腺癌患者的会诊,开的就是黄连阿胶汤,效果非常显著。这与古医书讲"久病必问寝食"不谋而合。当然,回阳救逆也是回天之机。2012 年我从内蒙古开会回来,之前因前列腺癌腹部转移肿块大如儿头,经我治疗肿块消失的惠老先生突然病情急转直下,表现为面目浮肿、表情淡漠、似睡非睡、四肢不温、不食不动、舌淡脉细,诊为少阴阳虚证,急煎服大剂量四逆加人

参汤 3 剂,转危为安。此时若用 5 味药以上,则大失仲景精义。

　　还有一个案例,患者欧某,男,84 岁,2014 年 8 月 20 日开始出现上腹部胀痛不适,伴有胸闷气短,活动后加重,食欲下降,双下肢水肿。由于未予重视及诊治,水肿逐渐加重,纳少,于 2014 年 8 月 27 日至我院心内科住院治疗,予利尿、营养支持药等治疗,双下肢水肿减退,腹胀减轻。患者确诊为胃间质瘤晚期,转入我科(柳州市中医医院肿瘤一科)继续治疗,转入后建议使用格列卫治疗,家属不同意,予中药(保肝利水汤)内服外治,患者病情稳定之后出院。其间患者 4 次住院出院,患者及家属均感满意。2014 年 12 月 9 日晚患者再次出现腹部疼痛,呈持续性加重。入院症见上腹部胀痛明显,时有加重,伴有胸闷气促,活动后加重,食欲不振,全身倦怠,双下肢轻度水肿,舌暗红,脉弦细。仍按前法施治。一周后患者病情急转直下,呈嗜睡状,呼之仅可微微睁眼,须臾则恍惚不清,腹胀如鼓,气息低微,不饮不食,已卧床不起一昼夜,双下肢水肿,四肢不温,小便量少,大便两日未解,舌暗红少津,六脉微细。我查房后指出患者病情危重,证属少阴阴阳两虚,元气大亏,心肾衰竭。法当急复阴阳,大补元气,以大剂量四逆加人参汤为主方治疗,拟方如下:附子 12 克,甘草 12 克,干姜 10 克,生晒参 15 克,阿胶 12 克(烊化),天花粉 12 克,3 剂,急煎 1 剂顿服。2014 年 12 月 19 日下午查房,患者神志清楚,自述服药后当晚腹胀明显减退,尿利身轻,精神倍增,饮食恢复正常,已能下床活动。今见双下肢轻微水肿,四肢尚温,二便正常,舌暗红少津,脉缓弱。此乃阳气得复,阴虚仍在,继用上方,以阴阳气血俱补。

　　厥阴病提纲"厥阴之为病,消渴,气上撞心,心中疼热,饥而不欲食,食则吐蛔,下之利不止"是典型的寒热错杂证,也是日久不愈,渐至成积之"寒热胶结"的临床表现。北京中日友好医院黄金昶教授治疗胰腺癌用乌梅丸深得我心,也是把握住了恶性肿瘤病因、病机复杂,需要补泻兼施、寒热并用的基本原则的具体体现。柳州一个老太太因患肺癌在其他医院住院,其子女说患者最苦恼的是每日腹泻 10 余次,多半年来,日无间断。患者后住进我科,使用乌梅丸进行治疗,服药后一周也无大便。其后患者前后住院 1 年余,再未出现腹泻。厥阴病提纲"下之利不止"的"利"和《伤寒论》338 条乌梅丸"又主久利方"的"利",含义宽泛,也包含了肠道肿瘤的黏液便。肠道肿瘤往往表现出大便不匀,或者说是便秘和腹泻交替出现,这实质上是"寒热胶结"的表现,寒热并用乃是正法,滥用下法,遗患无穷。

2014 年 12 月 30 日下午,我应邀到柳州市某三甲医院重症监护病房会诊。患者 27 岁,男性,平素怀疑痛风,自服激素一年有余。患者两个月前因吃大量生梨发病,当晚以剧烈腹痛、腹泻,双手拘挛入县医院急诊治疗,因血糖高达 55 mmol/L,以 1 型糖尿病、急性胰腺炎急送入三甲医院,虽经积极救治,仍未能确诊,血糖已控制,但病情持续恶化,现已黄疸、昏迷 3 天,正在血液透析中。刻诊:深度昏迷,呼之不应,面目轻度黄染,瞳孔反应迟钝,四肢尚温,腹大而软,腹壁皮下有出血点,舌萎唇干,尺脉沉弦。家属代述患者未昏迷时始终大便不硬,但黏滞不爽,能下少许污浊则自觉稍微减轻。我的会诊意见:病属寒邪直中太阴,继而至厥阴、少阴,寒毒深入肝肾,化热动风,乃至逆传心包,蒙蔽清窍,有阴阳离决之势,危在旦夕。法当开心窍,定肝风,分解寒热,回阳利胆。治疗:参附注射液、清开灵注射液静脉滴注;安宫牛黄丸 1 丸,温水化开胃管送服;乌梅丸和茵陈蒿汤化裁颗粒剂温开水化开胃管送服。试想,要不是患者当时心中灼热,似饥非饥,何必以柔弱之身大啖生梨?我们不要被"食则吐蛔"限定眼目。要想到张仲景所讲的厥阴病提纲就是当时一个病例的真实记录，同时还要看到厥阴病的复杂性、危重性，这不是某一种西医病名能够概括的。如果中医及早介入，何至患者病情发展至今？

我的硕士毕业论文是《结胸证研究》，先后在《河南中医》《实用中医内科杂志》以"论'胸'非胸中""结胸证治探要"等标题发表，且获1991年军队科学技术进步三等奖。该课题研究了结胸病不只单纯是一个脏器的胸腹部疾病这个基本问题。后经多年的肿瘤临床实践，再读《伤寒论》，竟使我豁然开朗，顿时明白了自己当年并不知道结胸病的实质究竟是什么。国内外近几十年来，有关结胸病的研究论文稀少恐怕也是这个原因。我认为结胸病是内脏恶性肿瘤的胸腹部转移。

结胸病的病位主要在胸腹。张仲景对于脏腑疾病的病变范围已有一定认识，如热结膀胱、热入血室、肺痿、肺痈、肠痈等脏腑概念，以及较为宽泛的"热在下焦"等。而结胸是用于说明病变范围已经不能用一个脏腑来概括的特殊情况。往往是病变影响到胸膈、心肺、肝胆、胃肠，虽然范围大小不一，病情轻重程度差异也很大，但从根本来说是超出一个脏器的胸腹部疾病。《伤寒论》134条就明确指出结胸的病位："医反下之，动数变迟，膈内拒痛，胃中空虚，客气动膈，短气躁烦，心中懊憹，阳气内陷，心下因硬，则为结胸。"

结胸病的病因是平素痞积，又有表证，误用下法，邪气内陷。正如《伤寒论》131条所谓："病发于阳，而反下之，热入，因作结胸……所以成结胸者，以下之太早故也。"这是因为处于稳定期的腹部恶性肿瘤患者，感受伤寒则正气受伤，又经误下，一伤再伤，免疫力极度低下，直接导致恶性肿瘤进入快速进展期，肿瘤细胞广泛转移，造成了中医所谓的正气大伤，水热、痰热、血热互结于胸腹。

结胸病的病机是外邪乘虚入里,有形之邪泛溢胸腹,气机严重滞涩。后世医家根据结胸病的病机不同,将其分为水热结胸、痰热结胸、寒实结胸以及血结胸、食结胸等,虽各有偏重,但均属有形之邪泛溢胸腹。

结胸病的临床表现为膈内剧痛,短气烦躁,心中懊恼,心下痛,按之石硬,甚至从心下至少腹硬满而痛不可近,项强,表无大热,但头汗出,或舌上燥而渴,日晡所小有潮热,或小便不利,身目发黄,寸脉滑,关脉沉,或脉沉而紧,或脉浮滑。从肿瘤科医生的角度来看,张仲景描写的这些临床症候均是内脏恶性肿瘤胸腹部转移的常见表现,甚至比我们现在的描写还要详细具体和准确。如肿瘤颈部及锁骨上淋巴结转移的"项强";纵隔、膈肌转移的"膈内剧痛,短气烦躁";肝左叶转移的"心下痛,按之石硬";肝胆侵犯胆道阻塞的"小便不利,身目发黄";腹部广泛转移的"从心下至少腹硬满而痛不可近";肿瘤细胞坏死毒素刺激体温中枢或合并感染的"舌上燥而渴,日晡所小有潮热"等。

从结胸病的鉴别诊断来看,张仲景之所以将脏结作为结胸病的鉴别要点且与之相提并论,就是因为它们之间既有联系,又有区别。脏结与腹部恶性肿瘤相关,《伤寒论》167条非常明确地说:"病胁下素有痞,连在脐旁,痛引少腹至阴筋者,此名脏结,死。""病胁下素有痞"就是处于稳定期的腹部恶性肿瘤患者。假如不是外感误下,是不会那么快就到进展期的。何谓脏结?《伤寒论》129条"如结胸状,饮食如故,时时下利,寸脉浮,关脉细小沉紧,名曰脏结。""如结胸状"是气机不利造成的;"饮食如故"说明脾胃功能尚好;"时时下利"是结肠、直肠肿瘤或肠外肿瘤压迫刺激排便神经所致,"寸脉浮,关脉细小沉紧"是阳热迫于上,阴寒沉于下。伤寒注家程知对《伤寒论》130条"脏结无阳证,不往来寒热,其人反静,舌上胎滑者,不可攻也"的解释与我提出的寒热胶结致癌论之寒热并用法有相通之处,他说:"经于脏结白苔滑者,只言难治,未尝言不可治也。只言脏结无热,舌苔滑者,亦不可攻也。意者丹田有热,胸中有寒之证,必有和解其热,温散其寒之法。俾内邪潜消,外邪渐解者,斯则良工之苦心乎。"

从结胸病的治疗方法来说,以祛除有形之邪为主。而有形之邪的关键是水热、痰热结滞。水热互结导致的恶性胸腹水,是内脏恶性肿瘤胸腹部转移尤其是胸壁、腹膜转移的主要病机,也是其最直接、最显著、最痛苦的临床表现。本着"急则治其标"的原则,大陷胸汤的大黄、芒硝、甘遂使邪实从二便而出,是在还未掌握放胸腹水情况下的最好方法。即使是用于病情较为缓和时的大陷胸丸,也是用大黄、芒硝、葶苈子、杏仁分利水邪。从《伤寒论》131 条"结胸者,项亦强,如柔痉状,下之则和,宜大陷胸丸"来看,这是针对恶性胸水的。而大陷胸汤证则无疑是恶性胸、腹水并见了。至于小结胸证,基本上指肺、肝胆、胰腺的恶性肿瘤转移初期,病灶较小,范围不大,症状较轻,但往往伴有感染,所以要用黄连、半夏、瓜蒌清化痰热。

值得重视和惊喜的是,张仲景除上述直接驱逐水热、清化痰热的方法外,还给我们举出了分利水热、分利痰热的方法。只是因为太过简略而被历代医家误认为是错简衍文,对其争论不休,置良药妙方于无用武之地久矣。文蛤散用文蛤一味成方,颇有其妙。《神农本草经》明言文蛤治"恶疮",李时珍则总结其功用是"止烦渴,利小便,化痰软坚"。实质上文蛤的作用特点是分利寒热、分利水热、分利血热。和瓦楞子等贝壳类药的软坚散结作用相比,文蛤重在分利。《伤寒论》141 条"病在阳,应以汗解之,反以冷水潠之,若灌之,其热被劫不得去之,弥更益烦,肉上粟起,意欲饮水,反不渴者,服文蛤散。"外水寒而内郁热怎么办呢,用文蛤分利寒热,自然药到病除。举一反三的话,寒热胶结致癌,的确需要分利寒热的药物,这是非常巧妙的法则和对应药物啊! 如果说这么明确的症候不是癌症的话,同一条的后半部分"若不差者,与五苓散;寒实结胸,无热证者,与三物小陷胸汤,白散亦可服。"就显然说明这不是一般的外感病了。可是由于以往注家没有想到寒热胶结致癌的观点,所以对这一条文总是众说纷纭,莫衷一是。照我的理解,张仲景是先用文蛤分利,效果不好的话,再用五苓散化气行水,若病情进一步发展,就更加复杂了。寒实结胸几乎就是多种恶性肿瘤的胸部及纵隔转移。"寒实结胸,无热证者"指表无热证,实际上,寒能化热、寒中有热,或者说"炉烟虽熄,灰中有火"的情况更为常见,很可能是寒热胶结,所以给予"三物小陷胸汤"(三物白散合小陷胸汤)寒热并用。若确认"无热证者",白散(桔梗、贝母、巴豆)化痰散结亦可服。

从结胸病的预后判断更能看出张仲景的高明之处和经验丰富,结胸病虽然是内脏恶性肿瘤的胸腹部转移,但并不见得都无药可救。病有早晚、轻重,治有方法当否,"言不可治者,未得其术也"。当然,结胸病的死证是有条件的,如《伤寒论》132条"结胸证,其脉浮大者,不可下,下之则死",大病当前,误治或过度医疗,岂有生路。《伤寒论》133条"结胸证悉具,烦躁者亦死",邪实太过,正气耗散殆尽,非人力所能挽回。

文献中有结胸病的实例。王旭高《西溪书屋夜话录》:"脏结为死证,仲圣戒不可攻。余曾治二人,皆不治而死。其一素有肝气,其一素有癖块,皆卒然腹中硬满大痛,得食则呕,二便不行,腹中硬块或竖或横者数条。初用深师七气汤,如吴萸、官桂、木香、厚朴、乌药等,送下备急丸五粒,不得利。又转用许学士温脾汤,亦不得利。他医进仲景黄连汤加肉桂，痛呕亦不止。一人四日死，一人三日死，竟一无办法。"旭高自按："或曰灸关元或可救，然其人痛无暂安，安能施灸法哉。每思阴邪盘踞，脏气凝结，不通不出，若用通阳之属，如附子、肉桂、干姜、半夏、茯苓、乌药、泽泻等味，送下来复丹通脏腑之阳，理三焦之气，假我数年，再遇斯证，得试此法，未识何如。"在当今条件下，我碰到此证，多考虑是肿瘤造成的肠梗阻，待证实后，还是建议用手术的方法治疗。

2014年11月底，全国肿瘤阳光论坛开通，我作为一名肿瘤科医生终于有了找到组织的感觉。在会上，我讲了"结胸病是恶性肿瘤的胸腹部转移"这个题目。非常凑巧的是，讲完第3天，就有一名胰腺癌患者家属辗转找到我求诊，述三月来不能自主排便，腹胀如鼓，胰腺肿块虽不大，但痛苦难忍，不欲饮食，希望求助于中医。乃辨病为结胸病，辨证为水热结胸、三焦水道不畅、日久伤阳，乃以大陷胸汤合柴胡桂枝干姜汤化裁，为了方便，后期继续通过电话指导用药，将处方拍照留存。组方：大黄12克，芒硝10克，牵牛子12克，猪苓30克，柴胡12克，黄芩12克，姜半夏15克，红参12克，枳实15克，厚朴15克，栀子12克，茵陈30克，干姜12克，桂枝12克，水蛭10克，炮山甲10克，半边莲30克，茯苓30克，苍术12克，泽泻30克。三剂后家属来电话，患者第二天二便通畅，且对久违的自主排便颇感舒畅，腹痛、腹胀等诸症均减，气力提升，饮食有味，信心大增。同时传来的照片提示患者有唇疖，唇舌色暗红，舌苔厚处如花生米大小两处，其他部位薄白苔，有剥苔之象，根黄，这既是寒热胶结的征象，也是燥湿相混的先兆。水退则恐阴虚出现，自当早为顾护。张仲景当年结胸证舌诊只提到舌上燥而渴，二便也只提到或小便不利，因为大便不通或不畅自在不言之中。或者说，即使大便无异，也要用芒硝、大黄、甘遂攻下，使水热从二便而出。从本案可以看出,舌苔花剥也是结胸证的舌诊表现,尤其是恶性肿瘤胸腹部转移、大量腹水形成结胸证的舌诊特点。2015 年 1 月 1 日,患者出院带药治疗 19 天,医院认为 3 天之内患者必然要回院放腹水,结果患者腹围维持在 78 cm,怀疑是否利水太过,减少了利尿药。因患者不愿出门来诊,只能去芒硝、牵牛子、猪苓,加天花粉 30 克,黄芪 50 克,继服。7 剂药后,腹水又起,改回原方。

经方溯源

《伤寒论》128 条:问曰:病有结胸,有藏结,其状何如? 答曰:按之痛,寸脉浮,关脉沉,名曰结胸也。

《伤寒论》129 条:何谓藏结? 答曰:如结胸状,饮食如故,时时下利,寸脉浮,关脉小细沉紧,名曰藏结。舌上白胎滑者,难治。

《伤寒论》130 条:藏结无阳证,不往来寒热(一云寒而不热),其人反静,舌上胎滑者,不可攻也。

《伤寒论》131 条:病发于阳而反下之,热入,因作结胸;病发于阴而反下之(一作汗出),因作痞。所以成结胸者,以下之太早故也。结胸者,项亦强,如柔痉状。下之则和,宜大陷胸丸。

大陷胸丸方

大黄半斤　葶苈半升,熬　芒硝半升　杏仁半升,去皮尖,熬黑

上四味,捣筛二味,内杏仁、芒硝,合研如脂,和散,取如弹丸一枚;别捣甘遂末一钱匕,白蜜二合,水二升,煮取一升,温顿服之,一宿乃下,如不下更服,取下为效,禁如药法。

《伤寒论》132条：结胸证，其脉浮大者，不可下，下之则死。

《伤寒论》133条：结胸证悉具，烦躁者，亦死。

《伤寒论》134条：太阳病，脉浮而动数，浮则为风，数则为热，动则为痛，数则为虚，头痛发热，微盗汗出，而反恶寒者，表未解也。医反下之，动数变迟，膈内拒痛（一云：头痛即眩），胃中空虚，客气动膈，短气躁烦，心中懊憹，阳气内陷，心下因硬，则为结胸，大陷胸汤主之。若不结胸，但头汗出，余处无汗，齐颈而还，小便不利，身必发黄。

大陷胸汤方

大黄六两，去皮　芒硝一升　甘遂一钱匕

上三味，以水六升，先煮大黄，取二升，去滓，内芒硝，煮一两沸，内甘遂末，温服一升，得快利，止后服。

《伤寒论》135条：伤寒六七日，结胸热实，脉沉而紧，心下痛，按之石硬者，大陷胸汤主之。

《伤寒论》136条：伤寒十余日，热结在里，复往来寒热者，与大柴胡汤。但结胸无大热者，此为水结在胸胁也，但头微汗出者，大陷胸汤主之。

《伤寒论》137条：太阳病，重发汗，而复下之，不大便五六日，舌上燥而渴，日晡所小有潮热（一云：日晡所发心胸大烦），从心下至少腹，硬满而痛，不可近者，大陷胸汤主之。

《伤寒论》138条：小结胸病，正在心下，按之则痛，脉浮滑者，小陷胸汤主之。

小陷胸汤方

黄连一两　半夏半升,洗　瓜蒌实大者一枚

上三味,以水六升,先煮瓜蒌,取三升,去滓,内诸药,煮取二升,去滓,分温三服。

《伤寒论》139条:太阳病二三日,不能卧,但欲起,心下必结,脉微弱者,此本有寒分也。反下之,若利止,必作结胸;未止者,四日复下之,此作协热利也。

《伤寒论》140条:太阳病下之,其脉促,不结胸者,此为欲解也。脉浮者,必结胸也;脉紧者,必咽痛;脉弦者,必两胁拘急;脉细数者,头痛未止;脉沉紧者,必欲呕;脉沉滑者,协热利;脉浮滑者,必下血。

《伤寒论》141条:病在阳,应以汗解之,反以冷水潠之,若灌之,其热被劫不得去,弥更益烦,肉上粟起,意欲饮水,反不渴者,服文蛤散。若不差者,与五苓散。寒实结胸,无热证者,与三物小陷胸汤,白散亦可服。

文蛤散方

文蛤五两

上一味,为散,以沸汤和一钱匕服,汤用五合。

白散方

桔梗三分　巴豆一分,去皮心,熬黑,研如脂　贝母三分上三味为末,内巴豆,更于臼中杵之,以白饮和服。强人半钱,赢者减之。病在膈上必吐,在膈下必利,不利进热粥一杯,利过不止,进冷粥一杯。身热,皮粟不解,欲引衣自覆。若水以潠之、洗之,益令热却不得出,当汗而不汗则烦。假令汗出已,腹中痛,与芍药三两如上法。

《伤寒论》149条:伤寒五六日,呕而发热者,柴胡汤证具,而以他药下之,柴胡证仍在者,复与柴胡汤。此虽已下之,不为逆,必蒸蒸而振,却发热汗出而解。若心下满而硬痛者,此为结胸也,大陷胸汤主之;但满而不痛者,此为痞,柴胡不中与之,宜半夏泻心汤。

《伤寒论》150条:太阳与少阳并病,头项强痛,或眩冒,时如结胸,心下痞硬者,当刺大椎第一间、肺俞、肝俞,慎不可发汗,发汗则谵语。脉弦,五六日,谵语不止,当刺期门。

《伤寒论》167条:病胁下素有痞,连在脐傍,痛引少腹,入阴筋者,此名脏结,死。

《伤寒论》中有两处提到猪苓汤,第223条:"若脉浮发热,渴欲饮水,小便不利者,猪苓汤主之。"第319条:"少阴病,下利六七日,咳而呕渴,心烦,不得眠者,猪苓汤主之。"一处在阳明,一处在少阴,奥妙何在,倒成了千古疑问。中医研究院编的《伤寒论语译》认为"第221条、222条、223条文义相连,应联系起来看",但我认为还应将第219条的"三阳合病"、220条的"二阳并病"与这三条一起分析才能一窥全貌。还是要将刘渡舟研究《伤寒论》条文排列的方法用来试试。从203条至218条,主要论述可下症及下法。这是阳明腑证的主要部分,也是精华部分。疾病往往是复杂的、多变的,且常常是兼夹的,甚至是逆转的。所以,219条所述"三阳合病,腹满身重，难以转侧，口不仁而面垢，谵语遗尿。发汗则谵语，下之则额上生汗，手足逆冷。若自汗出者，白虎汤主之”，是三阳合病偏重于阳明经证的治法。220条“二阳并病，太阳证罢，但发潮热，手足汗出，大便难而谵语者，下之则愈，宜大承气汤”，这是二阳并病偏重于阳明腑证的治法。221条“阳明病，脉浮而紧，咽燥口苦，腹满而喘，发热汗出，不恶寒，反恶热，身重。若发汗则躁，心愦愦，反谵语。若加烧针，必怵惕烦躁，不得眠；若下之，则胃中空虚，客气动膈，心中懊侬，舌上胎者，栀子豉汤主之”，这是阳明经证误治后的变证，自当“观其脉证，知犯何逆，随证治之”，比如热邪聚于胸膈，不好明确是哪一经了，干脆就归为栀子豉汤证了。“若渴欲饮水，口干舌燥者”（222条），看起来还是阳明经证，但正气已经不支，用药就不能像219条那么简单了，可用“白虎加人参汤主之”。若是“若脉浮发热，渴欲饮水，小便不利者”怎么理解呢？脉浮发热和小便不利是太阳经中足太阳膀胱经和手太阳小肠经同病，渴欲饮水，是蓄水不化，也有热邪伤阴的成分，还应从太阳入手，开腠理，利小便，兼以养阴润燥。而猪苓开腠理而利小便，一药而有双重功能，与麻黄有异曲同工之妙，诚乃难得之品，只不过麻黄偏于发散，这个时候使用不合适，猪苓偏于淡渗，乃成为天然君药。李时珍曰：“猪苓淡渗，气升而又能降，故能开腠理，利小便，与茯苓同功。但入补药不如茯苓也。”茯苓、泽泻、滑石助君药利小便，阿胶养阴润燥，两全其美。

第319条“少阴病，下利六七日，咳而呕渴，心烦，不得眠者”，这里的少阴病，主要是心阴亏虚、神失所养造成的渴与心烦失眠。因为腠理不开，所以肺胃之气不得宣通而上冲，则咳而呕，小肠不化物（水），也可能导致渴，也涉及太阳经腑同病，还是应异病同治，猪苓汤主之。

李克绍教授曾强调学习《伤寒论》要与《金匮要略》参合来看，这种以经解经的方法非常有用，因为这本来就是同一个人写的同类著作。猪苓汤证的奥秘，绝对不只是一个经方的问题，而是有典型意义的。《金匮要略·脏腑经络先后病脉证第一》就是《金匮要略》中具有战略性、全局性纲领指导意义的篇章，而其中唯一的方剂就是猪苓汤。但由于诸家对原文"五藏病各有所得""当随其所得"的"得"字没有确切理解，以致其中的要义至今不甚了了。看看原文"师曰：五藏病各有所得者愈，五藏病各有所恶，各随其所不喜者为病。病者素不应食，而反暴思之，必发热也。夫诸病在藏，欲攻之，当随其所得而攻之，如渴者，与猪苓汤。余皆仿此。"考"得"，成也。《礼记·乐记》中"阴阳和而万物得"可证。现代汉语口语中也有"得"，一个字表示"成的"，此处有成因的含义。这一篇首先讲到的就是脏腑关系，也说明脏腑的表里关系是最重要的。五脏病要用攻法的话，需先考虑其成因是否因为相关的腑病所导致，如心脏疾病的"心烦，不得眠"就有小肠不化物（水）、阴液来源受阻的原因，直接通利小肠才是关键。小肠通则心脏宁，"余皆仿此"。

我应北京市中医医院刘宝利主任的邀请于 2015 年 1 月 4 日开始在全国经方论坛——仲景夜话微信群讲《我的经方我的梦》，中医书友会将前 4 讲以《从乡间小路上蹚出的经方家》为题发表，两个月不到阅读量已超 3 万。更主要的是我在南京上研究生的同学，现在已是欧洲疼痛大师的孙培林教授和在美国任教的杨观虎教授同一天打电话找到我，让我在国际微信的社群里讲经方。看来我也要与时俱进了。

上述我对猪苓汤的见解发在"仲景医话（12 贤）——中医临床家笔谈"中，当日下午就有读者发帖云："关于上述猪苓汤证的阐述，虽较深刻，但是稍显烦琐。所谓经方，理也应精，辨证应直指方证病机,《伤寒论》为经方派之理论根基,以六经辨证才易入手,如果掺入医经的脏腑辨证,不易抓住病机。猪苓汤证第223条重点病机是三阳合病,阳明为主,汗、下、温针皆伤津,下还伤胃气,病传阳明,里有水饮不化,水热互结,伤及血分。319条乃少阴病传入太阴,下利伤津,致使阳明水热互结而伤及血分。从猪苓汤方药组成进行分析,有阳明热,又有太阴水饮,水热皆盛而互结,伤及津血,津液营血皆伤,故有发热、渴欲饮水、小便不利、咳而呕、心烦、不得眠等诸症,有说是属阳明病,从六经辨证看,阳明太阴合病比较符合辨证,因血属太阴,又有水饮。猪苓汤全方清热生津润燥,化气利水养血,契合方证病机,用准了卓有良效。该方对尿路感染、尿路结石、心悸、心烦、失眠等病证,符合上述病机者,颇为有效。"我回复谓:感谢回应,接受批评。我之所以一反常态、不厌其烦地论述猪苓汤证,实在是因为我提出了与传统说法相左的观点,即六经辨证中突出了足经,轻视了手经。比如太阳腑证,其实不仅有足太阳膀胱经,也有手太阳小肠经。而五苓散证、桃仁承气汤证,明显病位不在膀胱,而是在小肠。猪苓汤证也是以小肠为中心的。我有一个顺口溜,简单明了地对其进行了描述。

小肠颂

小肠小肠我爱你,后天之本有你哩。

五脏六腑都重要,要说长度排第一。

小肠小肠点赞你,抵御外邪如藩篱。

腹泻便血排毒出,无名英雄立功奇。

小肠小肠对不起,中医辨证轻视你。

蓄水蓄血受侵犯,肠鸣腹痛委屈你。

小肠小肠谢谢你,癌症虽恶远离你。

不愧与心相表里,只因人们伤不起。

在《伤寒论》中，六经辨证无疑是占主导地位的，但脏腑的重要性也是不言而喻的，何况我们以往存在对六经的片面认识。通过以经解经的方法以及许多条文、具体方证的例子，才能"拨乱反正"。当然，方证的重要性也是无可置疑的，这也正是仲景学说内涵丰富、魅力无穷的证明。

我非常欣赏天津市肿瘤医院吴雄志教授的观点：学中医，起于理，止于药，或起于药，止于理，皆可，关键是理法方药，贯通一气。方者，方向也，不精于方，多南辕北辙。药者，虽细枝末节，然不精于药，多失之毫厘。此二者皆术，唯理与法，乃道。然有道无术，多夸夸其谈；有术无道，终非大器！

抚宁县中医医院赫向春："王老师，请您方便详解一下，猪苓汤按胡冯六经辨证，归为阳明病方证。少阴病视为表阴证，它内传阳明，如同太阳病内传一样，只是脉不浮，渴、烦为阳明热。临床但凡见发热、口渴、心烦、小便不利，应用本方效果均很好。关于定位，大家对小肠的关注确实很少。希听详解。"我回复："研究张仲景自然不能用仲景后人乃至现代人的话作为标准、证据、结论。前后对比，互为印证肯定没错。《金匮要略·脏腑经络先后病脉证第一》重点讲的就是脏腑，而猪苓汤还是唯一提到的方剂。仲景之意岂不昭然若揭？膀胱气化不利的蓄水证，很多人也知道病位不在膀胱，因为不是尿潴留，膀胱不胀满，而《伤寒论》原文是'少腹满，应小便不利'。抵当汤证病位也不在膀胱，原文提到'少腹当硬满''少腹硬'。少腹，正是小肠的投射区。《黄帝内经·灵枢·邪气脏腑病形第四》：'邪之中人也，无有常。中于阴则溜于腑，中于阳则溜于经'，'小肠病者，小腹痛'。从病因来说，腹部受寒，外邪入中小肠，正是《金匮要略·脏腑经络先后病脉证第一》：'五邪中人，各有法度，风中于前，寒中于暮'，当然背部受寒，风邪入中，则是足太阳经了。从临床表现来说,小肠病变的最常见症状就是腹泻,张仲景称之为下利。《伤寒论》第 319 条:'少阴病,下利六七日,咳而呕渴,心烦,不得眠者,猪苓汤主之。'主症就是下利。至于猪苓汤证是治疗太阳小肠病的,为什么要冠以少阴病?其实这种情况在《伤寒论》中非常普遍,解释不一。我的解释是,在少阴病这个大的前提下,完全可以出现小肠病症,即使不说心与小肠相表里,'覆巢之下,岂有完卵',可以理解为急则治其标。这和少阴有三急下证、黄连阿胶汤证等相符合。小肠病的另一个症状是大便出血,桃仁承气汤、抵当汤证是也。"

广州高继平医师:"同意王教授'少阴病这个大的前提下',辨各脏腑、经络、表里、前后、风寒之证。同样的,如太阴中风桂枝证、阳明不食中寒证等,就可理解了。"我回复:"是啊,人是一个整体。伤寒是大病,得了大病,小病蜂拥而起,可以想见。就像得了肿瘤的人,也往往伴发多种疾病。不要强解六经,伤寒除了合病、并病,就不能大病并不重,小病却很急吗?疾病兼加牵连,比书本复杂得多。"广州高继平医师:"六经只是疾病分类法之一,自然不是唯一法。自病有阴阳,阴阳可依多少再三分这个分类的角度看,言可赅万病不为过。三阴三阳,可用来说六经,但不只是六经。仲景以之类归病症、卜家以之分六爻,皆无不可。故仲景'六经辨证'之有无,大可商榷,个人倾向认为原文讲'六病'。"我回复:"是啊,你说得很对。张仲景没有提到六经辨证的词语。六经辨证是后人的总结。六经含义很广,脏腑、经络、气血、八纲等。认为六经只是经络的人少之又少,不值一提。但我认为,既然已经约定俗成,大家知道其含义广泛就可,再改为六病辨证也未必合适。这就像现在中医、西医的名称,内涵很清楚,名称不见得科学准确,但不影响使用啊!"广州高继平医师:"《素问》热病有六经,仲景有病传、随经入里说,混同概称六经,易误会。赞同王三虎教授观点,知本源、明异同,可从习惯,视同'广义、狭义'。"我回复:"理既明了,法则随之,方药继之。"广州高继平医师:"确实,理法方药,原文丝丝入扣。原文少言理,理寓于术中。"

我在这里不厌其详地论述猪苓汤证,想借以说明的是经方包含在经文之中,要学好经方,用好经方,经文不可或缺。或者说,经文中宝藏无限,亟待发掘和提炼。

展望未来,用不了多久我将步入老年行列。我的经方梦也将变成老年梦——宣扬经方。宣扬经方的梦更美,路更长,作用更大。实际上,从广义来看,经方梦就是中国梦的一部分。经方强则中医强,中医强则中国强。正如黄竹斋老先生几十年前的高瞻远瞩"中华古医学,世界将风行"一样。

第四章　老年梦——宣扬经方

在这一部分,我仍希望用经方中的案例和大家交流。

桂枝汤是《伤寒杂病论》第一方,药味非常简单,只有五味药,但是,桂枝、甘草扶阳,芍药、甘草养阴,所以桂枝汤仅五味药就有滋阴和阳、调和营卫的作用,号称滋阴和阳第一方,历代医家都用得很多。我碰到这样一个病例,一中年女性,说自己是寒证,且症状很多,之前曾用附子 30 克、干姜 30 克,仍然解决不了问题。我认为她的寒象并不是非常突出,只是她的一种主观感觉(或他人误导),用附子、干姜等温热药没有疗效的情况下,我们应该改弦易辙,重换思路。通过问诊、望诊,我发现她确实是怕冷,但是这种怕冷,我们叫恶寒,恶寒和恶风,差别比较小,但我觉得恶寒是恶风的重症。患者有自汗,症状也很多,在使用多种方法没有疗效的情况下,我就采取了执简驭繁的方法,用了桂枝汤:桂枝、芍药、甘草、大枣、生姜,用来调和阴阳、调和营卫。只用了大约 10 剂药便获得了医患双方都比较满意的结果。

我用桂枝甘草龙骨牡蛎汤治疗阳虚烦躁。张仲景在讲桂枝甘草龙骨牡蛎汤的时候说到"因烧针烦躁者",现在看来就是指心阳虚的烦躁。"烦"字,本来就有火字旁,从"烦"和"躁"来说呢,以烦为主,多半是热引起的,热令人烦已经成为中医的共识。但是,也存在阳虚烦躁。张仲景桂枝甘草龙骨牡蛎汤就是非常确切的对症方剂，也提示了这样一个症候的存在。有个老太太以烦躁为主症，曾使用多种方法治疗效果不好。她的症状非常单纯，为什么效果不好？我经过反复地考虑，认为主要还是因她舌淡脉弱，尽管在这种情况下患者可以服用茯神、珍珠母等安神药，但她本身舌淡脉弱就提示心阳虚了，这种烦躁就是心阳虚的烦躁，所以我只开了四味药：桂枝、甘草、龙骨、牡蛎，一方面为了教学，另一方面也是为了证明经方就是这样简单，患者吃了五剂药后，效果非常好。用四味非常简单、便宜的药治好患者已经持续半年的阳虚烦躁，这是经方的优势所在。

经方溯源

《伤寒论》118 条：火逆下之，因烧针烦躁者，桂枝甘草龙骨牡蛎汤主之。

桂枝甘草龙骨牡蛎汤方

桂枝一两，去皮　甘草二两，炙　牡蛎二两，熬　龙骨二两
上四味，以水五升，煮取二升半，去滓，温服八合，日三服。

我在南京中医药大学上研究生的时候，曾翻译了日本杂志上的文章，并在国内杂志上发表，其中有一篇叫《小建中汤治遗尿》。尽管张仲景没有说小建中汤可以治遗尿，但是在日本却有医生这样使用，这给我留下了很深印象。这也是我在《经方各科临床新用与探索》这本书中提到的内容。我同时也在临床上遇到过应用

此方的机会。有个小女孩体弱多病，经常找我看病，之前一直没提过有遗尿，但近半年来遗尿成了她主要症状。我从药量等方面考虑用过覆盆子、金樱子、桑螵蛸等补肾缩尿的药，但治疗效果不明显。考虑到她体弱多病，面黄声音低弱，舌淡，脉弱，我就想到了小建中汤。小建中汤中的饴糖药房不提供，我就跟小孩母亲说到超市买麦芽糖，麦芽糖任意吃，加小建中汤。就这样，两个月过去了，她母亲反馈说孩子的遗尿治好了，其他药也都不吃了。小建中汤治遗尿，在日本人用药的基础上，我也有了自己的验证，为小建中汤的应用开辟了新思路。其实小建中汤的用处很多，"虚劳里急，悸，衄，腹中痛，梦失精，四肢酸疼，手足烦热，咽干口燥，小建中汤主之。"既有腹中痛，又有梦失精等，也是在桂枝汤滋阴和阳、调和营卫思路的基础上建立的另一种思路。在疾病复杂，症状繁多，很难抓住一个非常特殊的病机且症状又不太重的时候，我认为用桂枝汤、小建中汤的思路，不失为一个方法。

经方溯源

《伤寒论》100条：伤寒，阳脉涩，阴脉弦，法当腹中急痛。先与小建中汤，不差者，小柴胡汤主之。

小建中汤方

桂枝三两，去皮　甘草二两，炙　大枣十二枚，擘　芍药六两
生姜三两，切　胶饴一升

上六味,以水七升,煮取三升,去滓,内饴,更上微火消解,温服一升,日三服。呕家不可用建中汤,以甜故也。

《伤寒论》102 条:伤寒二三日,心中悸而烦者,小建中汤主之。

《金匮要略·血痹虚劳病脉证并治第六》:虚劳里急,悸,衄,腹中痛,梦失精,四肢酸疼,手足烦热,咽干口燥,小建中汤主之。

《金匮要略·黄疸病脉证并治第十五》:男子黄,小便自利,当与虚劳小建中汤。

《金匮要略·夫人杂病脉证并治第二十二》:妇人腹中痛,小建中汤主之。

作为肿瘤科医生,我经常遇到因放疗而引起口干的病例,且非常难治。西医认为是放疗破坏了人体的唾液腺,使唾液不分泌了,导致口干。中医认为舌红、少津为阴虚表现。阴虚对中医来说不算什么难题,问题是诊断容易取效难。有这么一个病案,患者虽舌红少津,持续时间长,但舌红的程度不明显,我一改往日滋阴生津利咽的方法,给他用了半夏散及汤。半夏散及汤是治疗寒凝咽喉引起咽痛的方剂,那么它对口干是不是起作用呢?对于该患者来说,他不是典型的阴虚口干证,但是也很难找出其他阳虚的表现,如小便清长、大便溏薄、怕冷等。所以,我猜想该患者的口干有可能是因滋阴到了一定程度,阳气不能布达、津液不能上承而导致的。恰恰此患者的症状表现也具备了这方面的可能性,所以我一改往日的滋阴方法,用半夏散及汤:半夏、桂枝、甘草,也取得了初步的效果。其实以桂枝为主药的五苓散,就是治疗烦渴即口渴的,五苓散治疗口渴依据的是桂枝可使津液布散的功能,所以用半夏散及汤治疗鼻咽癌放疗后的口干,也是开辟了一个新的治疗思路。

经方溯源

《伤寒论》313 条：少阴病，咽中痛，半夏散及汤主之。

半夏散及汤方

半夏,洗　桂枝,去皮　甘草,炙

上三味,等分。个别捣筛已,合治之,白饮和,服方寸匕,日三服。若不能服散者,以水一升,煎七沸,内散两方寸匕,更煮三沸,下火令小冷,少少咽之。半夏有毒,不当散服。

乌梅丸是我治疗慢性腹泻的常规用药。湖南有一个小伙子,因腹泻两年,治疗效果不佳,找我看病,我直接用乌梅丸进行治疗。一两个月后,患者的腹泻症状十去五六。但继续用药,效果却不如从前了,我通过望诊、问诊,发现患者的腹泻虽然好了一些,但是还是一天几次,同时他还容易感冒,我便改变思路,从桂枝加葛根汤入手。张仲景虽然原文中讲"太阳病,项背强几几,反汗出恶风者,桂枝加葛根汤主之"。但事实上,桂枝汤既有滋阴和阳、调和营卫的作用,也有治疗腹泻的作用,桂枝加葛根汤就是在桂枝汤的基础上加入了葛根的升清阳作用。为什么桂枝汤也能治腹泻呢? 这就要说到太阳病的内涵。我讲过,张仲景继承了《内经》六经的思路,但是他继承或者说强调的是足经,如太阳病,他主要强调的是足太阳膀胱经的病变,忽略了手太阳小肠经的病变。事实上,既然是太阳病,就有可能是小肠经的病变。小肠经和膀胱经同为诸经之藩篱。张仲景自己也说,"风伤于前,寒伤于后",实际上风寒共同侵入人体,既有我们现在常规认为的从肌表而入,也有直接侵犯小肠导致腹泻的先例。大家都知道"胃肠感冒",其实它就是太阳病的另一种形式,即手太阳小肠经的病变,病位在小肠。我们用桂枝汤,桂枝走肠胃,生姜、大枣、炙甘草也都是入肠胃的。小建中汤,所谓"建中"就是治肠胃的,甚至是以肠为主的。所以,在这种情况下,我们用桂枝加葛根汤治腹泻是有充分的理论依据的。我给这个患者开了二十天的药,一剂药也就十块钱。同时,为了证明我们的思路方法是否正确,先不能加药,五天以后视患者反馈给我的情况而定。结果五天以后,患者反馈治疗有效果。同一个病,在不同阶段,一开始用乌梅丸,之后用桂枝加葛根汤,都有一定的理论依据。

用小柴胡汤治疗咳嗽也有病例。徐女士,56 岁,咳嗽 1 年,日轻夜重,咳嗽以刚入睡和夜半发作比较重,其他时间虽然发作但是不严重,而且咳嗽时失眠烦躁,问诊患者有头晕症状,偶尔也有胁疼,咳则尿失禁,泡沫样白痰,背冷,颈部发痒,舌红苔薄白,脉滑。患者之前经历一年多治疗但一直没有痊愈,这个时候贸然开方很容易,但取效就难,所以我问诊时非常详细,与在跟前的学生反复探讨这究竟是什么病。查看患者之前的病历,她也曾用过射干麻黄汤、小青龙汤等时方、经方,但效果都不好。我想到了咳嗽是小柴胡汤的或然证之一。患者辨证属于少阳风火上扰,肺气不宣。因为她有背冷、白痰,所以我觉得伴有痰饮,用张仲景的话说就是"心下有痰饮,其人背寒冷如掌大"。这种咳嗽既有风火的因素,也有痰饮的因素。如果风火属热,痰饮属寒的话,就有寒热并见的情况,虽然不太突出,但都存在。这就不是简单的热证、寒证、实证、虚证了。考虑到张仲景小柴胡汤证明确将咳嗽作为可以出现的症状之一,所以我就用小柴胡汤和苓桂术甘汤合方,加了龙骨、牡蛎。

一方面患者有烦躁、失眠症状,该方有柴胡龙牡汤之意;另一方面,龙骨、牡蛎本身就有一定的止咳平喘作用。我先给患者开了 5 剂药看是否有效,组方:柴胡 12 克,黄芩 12 克,半夏 12 克,生姜 24 克,党参 15 克,炙甘草 12 克,大枣 30 克,茯苓 30 克,白术 12 克,桂枝 12 克,生龙骨 30 克,生牡蛎 30 克。本方用农本方颗粒剂冲服。5 天以后,患者反馈诸症大减。这充分证明经方的疗效,尤其是小柴胡汤的或然证,值得我们重视并学习。但是患者说喉痒还存在,我就在原方中加蝉蜕 12 克。翻阅她的病历时我发现,2011 年 12 月,该女士曾因为双侧颈淋巴结肿大找我治疗,我用的还是小柴胡汤加减,结果 7 剂药就治好了她的病。从这一点说明,体质与证型的关系是相对恒定的,也就是说,如果一个人是少阳体质,她得的病往往就在这方面体现,医生也往往需要从这方面入手治疗。在临床中我也发现,有很多患者隔了几年再来看病时还是原先的病机。

有一句话叫"无独有偶",就在我们对小柴胡汤治疗咳嗽获效而感到兴奋之时,又有另外一个相应病例。吴女士,58 岁,安徽人,"胰腺癌术后"不到 2 年,查原案她是 2014 年 5 月 22 日以胰腺癌术后 1 个月为主诉找我看病的,在我这里治疗了一年的时间。当时她的胰腺癌已经波及周围的脏器,切除了胆囊与部分十二指肠。我使用自拟的治疗肝、胆、胰肿瘤的基本方——软肝利胆汤为基础进行治疗,前后共一年时间。后复查患者不但没有任何不适,影像学和肿瘤标志物检查都没有异常。我自拟的软肝利胆汤就是在小柴胡汤的基础上得来的,小柴胡汤可以治疗肝、胆、胰的肿瘤,因为小柴胡汤的或然证就有胁下痞硬的表现。张仲景在《金匮要略》黄疸病篇讲"呕而腹疼者,小柴胡汤主之",即黄疸可以用小柴胡汤治疗,胁下痞硬也可以用小柴胡汤治疗。同时小柴胡汤寒热并用、扶正祛邪、升清降浊、疏肝和胃等,基本上符合我对大多数肝、胆、胰肿瘤病机的认识,当然张仲景原方是"胁下痞硬者,去大枣加牡蛎"。软肝利胆汤具有软肝利胆,化痰解毒,扶正祛邪,软坚散结的作用。她术后近两年来没有复发转移,与中医治疗密不可分。

患者,70多岁,肺癌术后复发。患者放化疗过程中我用自拟的肺癌主方海白冬合汤加减治疗近3年,目黑诸症均减,形如常人,唯胸痛不减,深以为苦。虽用多种止痛方法,包括张仲景专治胸痛的拳参30克,仍无寸效。考虑患者胸痛连胁而大便干结,乃大柴胡汤证:柴胡30克,黄芩12克,半夏18克,枳实30克,白芍60克,大黄12克,当归30克,川芎30克,荆芥12克,防风20克,甘草20克,生晒参12克,生姜6片,大枣12枚。因治疗当月月底我要回西安,对其中柴胡量大心存牵挂,但考虑到君药量不大不行,乃用上方。7剂效不显,受方再7剂,后诉疼痛减轻,几年来终见转机。经方之助我太多太多。

多年来我常用小柴胡汤、五苓散加苏叶黄连汤治疗肾衰竭。1980年前后,我中专毕业实习的时候,曾见过我的老师使用小柴胡汤使患者尿素氮降低,给我留下了深刻的印象。小柴胡汤和解少阳的功效众所周知,但其疏利三焦的功能常常被人们忽略。其实小柴胡汤就是疏利三焦的主方。同时加上五苓散化气行水、疏利三焦。类似肾衰、尿毒症等疾病,毒素排不出去,在中医里叫关格,清浊相混、胃失和降,可用苏叶黄连汤升清降浊。我以前以这三个方子为基础曾在我们县上治疗过急性肾衰竭患者。曾有这样一个病例,患者因糖尿病、高血压引起肾衰竭,在需要透析的前期,家属找到了我,想通过中药治疗,患者经我治疗一年,病情得到了控制和缓解。在治疗肾功能衰竭患者时,我会根据患者病情的不同在处方中加黄芪、当归等药,这也参考了现代研究中认为其有降低尿蛋白、尿中红细胞的作用；有时还会加土茯苓、大黄、牡蛎、蒲公英促使肠中毒素的排出。

　　用黄连阿胶汤治疗失眠是我比较擅长的。一般人会质疑方中没有酸枣仁、柏子仁等药，但效果却很好。其实张仲景就是这样使用的，只不过很少被人提起而已。失眠属心经有火，是非常常见的疾病。曾有一个患者，失眠多年，服用了我开的黄连阿胶汤加味，效果非常好。我在治疗该患者时在原方中加入了桂枝、甘草。患者当时表现为或心悸，或脉弱，在阴虚火旺的基础上有心阳虚的表现。《伤寒论》谓："心气不足，吐血衄血，泻心汤主之。"这其实就是张仲景在强调，从吐血、衄血中诊断出有热容易，但想要诊断出热邪迫血妄行的同时，伤了心气、心阳就不那么容易了。只有看到了这一点，才能使黄连阿胶汤用得长久，不然还会出现其他问题。这也是多年临床实践帮助我养成的思路。当然了，作为初学者，热就认为是热，阴虚就是阴虚，诊病到了一定阶段，看问题才会慢慢多维度。

　　在《金匮要略》中，千金苇茎汤、《近效》术附汤等，都是在宋代医家整理《金匮要略》的时候加进去的。宋代的医家认识到，张仲景的经方固然魅力无穷，但学术仍有待发展。比如三物黄芩汤就是在妇人病篇提出产后使用的，但我并不常将其用于产后。三物黄芩汤配伍非常巧妙，方中黄芩、生地黄、苦参三味药相配伍，药效非常好。尤其是黄芩，不仅能清实热、清湿热、清血热，还能清虚热，它的应用范围比较广，适用于很多慢性病，尤其是大肠癌中出现的血中热毒、大肠热毒，阴液又伤又有湿的情况，再加生地黄、苦参，两两相对，滋阴而不助湿，燥湿而不伤阴。曾有一个病例，患者为急性非淋巴细胞白血病 M3 型，化疗了三次后，主动拒绝化疗，想通过中药进行治疗。2008 年，她通过网络找到我。她因三次化疗气血两虚,我用八珍汤进行治疗,半年以后用三物黄芩汤和八珍汤合方治疗的,患者没有再用其他药物,病情慢慢地稳定直至痊愈,这几年已经能正常工作了。这个病例非常有说服力,这也是经方给我带来的成就感。

小续命汤一般认为出自《千金方》。我出过一本书叫《120 首千金方研究》,就是因为共六千多首千金方,真正被我们应用的只不过十来首,希望更多的医生把优秀的经方拿出来使用,而不是将它束之高阁。应用最广泛的十来首千金方中就有小续命汤。我曾用它治疗中风。中风受风,天经地义,虽然后来出现了瘀血学说,但是有观点说中风非风,一点风都没有,就有点矫枉过正了。我认为,中风是存在风的。有个病例能说明此问题。患者,男,因工作劳累,辗转各地多年,患半身抽搐,久治无效。他通过我女儿找到我,并把病历发给了我。患者最主要的症状就是抽搐,除此之外还有很多其他症状都能用风来解释,但都不是重点。我诊断为中风,风邪是他患病最主要的原因,用小续命汤进行治疗。方中用附子通十二经,黄芩泻火,风火相煽,灭火就能祛风,这就是古人组方的奥妙。患者用药一个月后效果非常明显。过了四五个月,患者来复诊,症状已十去八九。这就是我说的,我们不仅要学张仲景的经方,晋唐时期乃至以后的方剂我们也要选出一些有经方性质的,把它发扬光大。

孙思邈是我们陕西铜川耀州区人,唐代大医家,被誉称“药王”,但他费尽毕生精力撰写的《千金方》现代却很少有人研究,和研究张仲景的注家数以千百计相比,研究《千金方》的书籍寥寥可数。我自 1988 年研究生毕业回到陕西后,逐步开展对《千金方》的研究。1998 年我作为主编出版了《120 首千金方研究》一书。这本书的特点是内容都是经过临床检验的,包括前人的、孙思邈自己的，也包括后代医家和我自己应用过而且有效验的方剂，从6000多首方剂中精选出来120首方剂。这几年的经方热也激起了广大中医对《千金方》的研究热情，使《120首千金方研究》一度在网上热销，当年私存的书如今所剩无几。我觉得，宋代医家在整理出版《金匮要略》的时候已经大胆将好多首《千金方》附后，弥补经方的不足，我的经方梦，当然也包括了《千金方》，或者美其名曰广义经方吧，这本书，补上这些内容，可以说是必需的。

犀角地黄汤是6500余首《千金方》中最具代表性的方剂之一。《120首千金方研究》一书共360页阐释了120首方剂，犀角地黄汤一方篇幅就占了18页，是普通方剂的六倍之多，不言而喻是重点中的重点。犀角地黄汤出自《备急千金要方》："治伤寒及温病应发汗而不汗之内蓄血，及鼻衄、吐血不尽，内余瘀血，大便黑、面黄，消瘀血方。"原方由犀角一两、干地黄八两、芍药三两、牡丹皮二两组成。具有清热解毒，凉血散瘀之功，为温热病热入血分的常用方。主治热入血分的谵语、发斑，热伤血络的吐血、衄血、便血、尿血。方中生地黄清热凉血、滋养阴液为臣，芍药和营泻热，牡丹皮泻血分伏热、凉血散瘀为佐使，加上君药犀角，四药相合，配伍精当，巧妙地解决了凉血与活血、止血与散血的矛盾，清热之中兼以养阴，凉血之中又能散瘀，是热清血止而无留瘀之弊，故为治疗热入血分之要方。我抓住本方配伍精炼、适应面广的特点，在临床上运用犀角地黄汤治疗多种疾病均获良效。

银屑病是疑难病。我对银屑病的治疗主要从血中热毒立论，以犀角地黄汤加减为主方。方中犀角用水牛角30克代替，生地黄30克起步，赤芍、牡丹皮12克。该方往往加黄连、黄芩加强清热泻火、凉血解毒之力，加紫草、大青叶增强凉血活血之效。临床上对心情抑郁、喜叹息，或者问诊中得知有精神压力等情况时，配合小柴胡汤;肝气犯胃,肝胃不和者加蒲公英、连翘,在清热解毒中有疏肝和胃之功;口渴喜饮、大便干结,加生石膏 30～60 克;兼下焦湿热,加黄柏、苦参、槐花;搔痒甚者加刺蒺藜、白僵蚕、地肤子、马齿苋。这么多年来,我用此种方法治愈了很多银屑病患者。2017 年 10 月澳洲学员运用犀角地黄汤治疗银屑病取良效后微信回馈:"王老师,有个女患者,50 多岁,患牛皮癣 30 多年。第一诊时患者身上多处皮疹,搔痒难忍,皮肤干燥,掉屑严重;第二诊患者精神状态好很多;第三诊我要求患者素食;第四诊患者已经不痒了,皮屑也少了许多,我用玄参代替水牛角进行治疗,全部药只用三分之一的量,最后治疗效果很好。"治疗银屑病的基本方:水牛角 30 克,生地黄 30 克,牡丹皮 12 克,赤芍 12 克,紫草 15 克,连翘 15 克,槐花 15 克,黄芩 12 克,防风 10 克,女贞子 12 克,旱莲草 12 克,甘草 12 克,桑白皮 12 克,蒺藜 30 克,蝉蜕 12 克,知母 12 克,石膏 30 克。我女儿王欢也用此方法治疗了很多银屑病患者。曾有一个病例是她婚后回丈夫老家,有个远房亲戚,患银屑病十余年,寻遍名医验方却收效甚微,皮肤破溃久难收口,瘙痒难忍,痛苦万分,她按我的经验开了方,竟获痊愈。镇上的药店老板打听到她的电话和门诊时间,专程从眉县赶到西安市中医医院肺病科找她看银屑病,自此以后几乎每次门诊都有这样专程找来的患者。

雷女士,20 岁,建筑公司工人,1992 年 7 月 24 日就诊。患者下肢紫斑半年,水肿两月。半年前患者刚从事汽车喷漆工作后就发现下肢散在紫斑,呈双侧对称出现,压之不褪色,按过敏性紫癜用西药治疗,时隐时现。患者两月前颜面浮肿,并波及全身,小便少、色黄,以紫癜性肾炎在西安某医院前后住院治疗三次,仍未控制病情,托人到西京医院门诊咨询,虽用大剂量激素治疗,但尿蛋白仍为＋＋＋,24 小时尿蛋白定量 6～22 克,找到我希望用中医进行治疗。患者面目浮肿,眼睑尤甚,面色略显红润,双下肢水肿,压之凹陷,散在斑疹,咽痛,口干,口苦,食少,小便少,腰痛重,舌红,苔薄黄,脉滑弦。患者 20 多天前服用一老中医开的 15 剂中药,但效果不好。观其脉证,热迫血行,显而易见。患者血管通透性增高,尿中出现蛋白,和出血机制一致,辨证为水停三焦,热迫血行,以柴苓汤合犀角地黄汤化裁。以小柴胡汤疏泄少阳三焦,也取柴胡、甘草之抗过敏作用,五苓散化气利水,犀角地黄汤凉血止血,降低尿蛋白。方用:柴胡 10 克,黄芩 10 克,半夏 12 克,甘草 6 克,茯苓 15 克,白术 12 克,猪苓 18 克,泽泻 18 克,水牛角 15 克,生地黄 20 克,牡丹皮 12 克,生地榆 15 克,白茅根 20 克,连翘 12 克,生石膏 20 克,茜草 12 克,血余炭 5 克,6 剂,每日 1 剂,水煎服。7 月 31 日再诊,浮肿略减,喉中痰鸣,下肢斑疹退尽,尿蛋白已由＋＋＋减至＋＋,24 小时尿蛋白定量减至 4.4 克,苔白厚,脉右滑,左沉弱,继以犀角地黄汤合射干麻黄汤化裁。嘱其每周递减强的松半片,六周后停用激素。10 月 6 日第 6 诊,尿蛋白±,24 小时尿蛋白定量 0.4 克。前后依证用过越婢汤合五皮饮、水陆二仙丹、桂枝甘草汤、苓桂术甘汤、防己黄芪汤等。患者病情迁延,寒热虚实夹杂,某一阶段以血热为主,某一阶段又以脾虚水停为主,但血热妄行这一基本病机是贯穿始终的,只不过时隐时现而已,所以寒热并用,补泻兼施为常用大法,犀角地黄汤功不可没。患者前后治疗一年多,渐至痊愈。我在柳州所住的单元房中的张仲景、华佗、孙思邈的名医画像就是多年后她制作送我的。

刘某,男,12 岁,陕西白水县林镇人。1994 年 7 月 3 日就诊,鼻衄 3 年,每日必发,入冬即止,发则二三日一次,甚或一日二次,自述无其他不适,舌质略红,苔薄,脉滑。选犀角地黄汤加味。药用:水牛角 20 克,生地黄 20 克,牡丹皮 10 克,赤芍 10 克,白茅根

30克,生地榆30克,血余炭5克,3剂即止,未再复发。此后我在西京医院中医科门诊以此方治疗血热型鼻衄前后共30余例,效果均较好。临床中所见之症虽未必都很典型,好在此方凉血止血而无留瘀之弊。

冯某,女,46岁,陕西渭南人。月经过多3年,血色深红,心烦急躁,口干,大便干,小便时黄,舌质红,苔薄稍黄,脉弦数。曾服中西药治疗,效果均不明显。1996年6月15日来西安就诊。依脉症辨为血热型,以犀角地黄汤加味,清热凉血止血。方用:水牛角30克,生地黄20克,牡丹皮12克,赤芍10克,仙鹤草20克,茜草12克,血余炭5克,5剂,水煎服,每日1剂。患者9月份再来西安,诉服药3剂后因事停服,近三月月经量已适中,别无他恙,余2剂迄今未服。

赵某,女,39岁,陕西合阳县人。1999年2月26日就诊,由家属代述病情。患者4个月前因取暖发生煤气中毒,家人发现时已处于昏迷状态,经当地县医院抢救,4小时后恢复意识,仅有头痛、头晕等症状。3周后患者出现神情呆滞,语言迟钝,渐至昏不识人,二便失禁,在当地县医院治疗1个多月无效。后进入某医院神经内科,住院一个月,按一氧化碳中毒迟发性脑病治疗,使用高压氧、神经生长因子等方法,仍无明显效果。之后患者转入第四军医大学肿瘤研究所,进行中医治疗。刻诊:神情呆滞,目不识人,呼之不应,面色偏白,二便失禁,需人帮扶方可坐起,舌质红,舌苔稍腻,脉弦滑。辨证属邪毒未清,痰扰心神。当清化痰热为主,以温胆汤为基本方。药用:半夏12克,茯苓12克,陈皮10克,甘草6克,生姜3克,枳实12克,竹茹12克,胆南星6克,石菖蒲10克,远志6克,郁金10克。每日1剂,水煎服。同时用血磁治疗,每日1次。6日后查房,无明显效果。偶听闻护士说该患者血液黏稠,特别难抽,再审其舌质暗红,舌苔薄,脉弦数。乃改弦易辙,清热解毒、凉血散瘀,佐以醒脑开窍之方,选用犀角地黄汤加味。组方:水牛角30克,生地黄20克,赤芍20克,牡丹皮12克,紫草12克,桃仁12克,连翘15克,胆南星6克,石菖蒲10克,远志6克,郁金10克。每日1剂,水煎服。停用血磁治疗。4日后查房,呼之应一二句,效不更方,再服原方12剂后,症情明显改观,神志始清,可以简单对答,偶能提醒二便,舌脉同前。再用原方12剂后,二便渐能自制,言语虽少而迟缓,但表意清楚,舌质暗红退却大半,脉弦而不数。上方去紫草、连翘、胆南星,减水牛角为15克,加半夏12克、茯苓12克、党参12克,带药30剂出院。1个月后渐能生活自理,仍以上方进退,服药250余剂后,可料理家务。向其询问中毒后乃至住院期间情景,一无所知。再服药180余剂,得以康复。2003年元月电话回访,略显话少而直,余如常人。

张某,女,16岁,陕西渭南人。2002年7月在第四军医大学肿瘤研究所就诊。患者5年前无明显诱因出现右耳皮肤紫红,且颜色逐步加深。经多家医院诊断为血管瘤,建议激光、手术等方法治疗,均因惧怕遗留瘢痕而拒绝,慕名前来尝试用中药治疗。刻诊:右耳皮肤色暗红,无肿胀、发热、疼痛等不适,喜冷饮,舌绛,苔薄黄,脉弦微数。证属血热、血瘀,治以凉血活血,方用犀角地黄汤加味。组方:水牛角30克,生地黄20克,赤芍15克,牡丹皮10克,紫草12克,大青叶20克,槐花12克,茜草10克,柴胡12克,黄芩12克,每日1剂,水煎服。用药1个月后复诊,右耳颜色变浅,舌红,脉弦。效不更方,嘱服原方。半年后来述,前后共服药150余剂,右耳皮肤已如常色。

巨某,女,56岁,新疆巴楚县红海乡人。于2002年12月25日在第四军医大学肿瘤研究所就诊。患者于2002年9月无明显诱因出现身体不适,乏力,食欲差,1周后乏力加重,感觉心慌、气短,并伴有四肢震颤,遂入巴楚县医院,按贫血治疗,后病情加重急转入喀什市解放军第十二医院,经吸氧、输血后病情缓解。骨髓细胞学检查:①骨髓增生极度低下,G:E=25:1;②红细胞系统增生极度低下,占2.0%;③淋巴细胞增生相对活跃,占39.0%,均为成熟淋巴细胞;④异常组织细胞明显增多,占7.5%。结合临床及周围血象诊断为"急性再生障碍性贫血",给予司坦唑醇、醋酸尼泼松、环孢素等治疗。患者治疗近3个月,须每周输血1次,遂前往西安第四军医大学肿瘤研究所就诊。血常规+网织红细胞:WBC $5.0×10^9$/L,RBC $3.2×10^{12}$/L,HGB 89 g/L,PLT $8×10^9$/L,RC 0%。患者按急性再生障碍性贫血收住院治疗。西医治疗方案:环孢素A,每日150 mg,司坦唑醇,每日3粒,醋酸泼尼松,每日20 mg。初诊:患者面色无华,唇舌苍白,疲乏,全身皮肤斑疹,色紫暗,大如铜钱,小如芝麻,以胸部为主。胸口针扎样剧痛,四肢震颤,心烦口干,腰痛腿软,舌绛,脉数。病属虚劳,证属毒热入血、髓亏精枯、气血两虚。法当凉血散血,止血解毒,佐以补血填精益气。方以犀角地黄汤化裁:水牛角30克,生地黄30克,白芍12克,牡丹皮12克,紫草15克,槐花10克,旱莲草12克,三七5克(冲),熟地黄20克,阿胶10克(烊化),龟板12克,山萸肉12克,炙黄芪40克。每日1剂,水煎服。二诊:2003年1月10日。上方连续服用12剂,患者自觉力增,皮肤出血点逐渐消失,夜间低热,舌质暗较前变浅,脉数。系热毒渐减,阴虚火旺造成,拟在清热解毒、凉血止血、活血化瘀、补肾填精基础上,佐以清虚热药,拟方如下:水牛角30克,生地黄30克,赤芍12克,牡丹皮12克,紫草12克,龟板12克,熟地黄30克,山萸萸12克,女贞子12克,旱莲草12克,桑椹12克,阿胶10克,银柴胡12克,地骨皮12克,玄参12克,白薇12

克,黄芩10克,仙鹤草10克,何首乌12克。加减:手足抽搐,加天麻12克,白芍12克,生草6克,木瓜10克,生龙牡30克。每日1剂,水煎服。三诊:2003年3月6日。上方连续服用30剂左右,自觉症状减轻,因近2月仅输血两次,以为病情好转,其中3周未用中药。西药因副作用逐步减量,自1月13日起,醋酸泼尼松每日15 mg,3月1日起减至每日10 mg;2月20日起司坦唑醇减至2粒/日;2月15日起环孢素A减至每日100 mg,2月25日停药。近日查血常规+网织红细胞:WBC $2.5×10^9$/L,RBC $1.36×10^{12}$/L,HGB 43 g/L,PLT $18×10^9$/L,RC 0.029%。刻诊:腰部疼痛明显加重,下肢拘挛冷痛,晨起腰骶僵硬,不能起床,生活难以自理,畏寒,舌暗淡,脉弱。此系阴虚及阳,阴阳两虚,精血俱亏,感受风寒。法当阴阳双补,填精血,益肝肾,祛风寒。方用独活寄生汤加味:独活12克,桑寄生12克,秦艽12克,防风10克,细辛5克,川芎12克,当归20克,赤芍30克,肉桂5克,茯苓15克,杜仲18克,牛膝12克,龟板12克,紫河车6克,鹿角胶10克(烊化),生龙牡30g。每日1剂,水煎服。四诊:2003年4月9日。上方连续服用24剂,3月29日停用司坦唑醇,6剂后症状逐渐减轻,其中3月25日输血1次,西药全部停用。刻诊:畏寒乏力,小便频数,面色无华,舌质淡,脉细弱。仍当阴阳双补,加血肉有情之品填补精血。药用:蛤蚧1/2对,附子6克,肉桂6克,金樱子12克,紫河车5克,覆盆子12克,海马3克,龟板10克,补骨脂10克,熟地黄20克,山茱萸20克,杜仲12克,狗脊12克,枸杞子12克,菟丝子12克,沙苑子12克,白芍20克,白芥子10克,炙芪30克,当归12克,何首乌12克,鹿角胶10克(烊化),炙草10克。每日1剂,水煎服。五诊:2003年4月23日。近1月未再输血,查血常规+网织红细胞:WBC $4.5×10^9$/L,RBC $2.23×10^{12}$/L,HGB 74 g/L,PLT $14×10^9$/L,

RC 0.02％。刻诊：腰部疼痛减轻，无其他不适症状。大量温补见功，仍属肾阴、肾阳俱损，任重而道远，须持之以恒，继用上方。六诊：2003年5月15日。患者病情日久，厌烦服药，服用上方6剂停药。查血常规＋网织红细胞：WBC 3.4×10^9/L，RBC 1.6×10^{12}/L，HGB 56 g/L，PLT 12×10^9/L，RC 0.02％。刻诊：双下肢可见1～2 cm出血点，大病初向愈，不宜停药过长，继用上方。七诊：2003年7月5日。上方间断服用20剂。查血常规＋网织红细胞：WBC 2.5×10^9/L，RBC 1.56×10^{12}/L，HGB 51 g/L，PLT 22×10^9/L，RC 1.8％。停药观察20天，患者精神状态佳，无不适症状，食欲好，睡眠佳，生命体征平稳。患者不但可以自如上下楼，而且每日晨起，可以稍事锻炼，与3月不能下床相比已判若两人，于2003年7月12日好转出院。

林某，男，15岁，广西来宾人。2005年8月13日初诊。右肩关节疼痛1年余，右肱骨头软骨母细胞瘤复发第二次手术后1个月。患者于2004年9月在广西壮族自治区人民医院确诊右肱骨头软骨母细胞瘤，2004年11月行手术切除，2005年7月复发，即行第二次手术。刻诊：面黄，右肩手术切口处肿痛，自觉右肩有热感，饮食可，二便调，睡中易醒，舌尖红，脉细。中医诊断：骨瘤。辨证：血中热毒入骨，内因肝肾不足。治法：凉血清热解毒，补益肝肾壮骨。方选犀角地黄汤加味：水牛角20克，生地黄30克，牡丹皮10克，赤芍10克，虎杖10克，竹叶6克，当归12克，自然铜20克，骨碎补15克，熟地黄20克，龟板12克，续断15克，杜仲10克，姜黄15克，桑枝20克，土鳖虫10克。30剂，每日1剂，水煎服。后依上方略有增减，再服药100剂。患者自觉乏力，右肩疼痛，于2006年1月23日拍摄X线片复查有可疑点，舌红，苔黄，脉弦细。患者热毒深藏，气虚已现，酌情加补气及引经药，方用：水牛角20

克,生地黄 20 克,牡丹皮 10 克,赤芍 12 克,姜黄 12 克,桑枝 30 克,土鳖虫 10 克,自然铜 30 克,骨碎补 20 克,当归 12 克,炙黄芪 30 克,乌贼骨 12 克,防风 10 克,羌活 10 克。20 剂,每日 1 剂,水煎服。患者坚持每月来诊,方药大同小异。2007 年 2 月 6 日患者在广西壮族自治区人民医院拍摄 X 线片复查:原右肱骨上端软骨母细胞瘤术后,局部所植骨片未见有坏死现象,生长良好,未见有病灶复发迹象。刻诊:无明显不适,舌尖红,苔薄黄,脉弦。2007 年 2 月 19 日开方 30 剂,每日 1 剂,水煎服。2007 年 6 月 10 日第 17 诊。病史同前,背生疔疮,舌红,苔薄,脉滑。上方加黄连 4 克,黄芩 12 克。20 剂,每日 1 剂,水煎服。软骨母细胞瘤是比较少见的恶性疾病,术后容易复发。该患者在疾病复发并行第二次手术后行中医治疗。我在治疗中抓住了"血中热毒入骨,内因肝肾不足"的病机,以犀角地黄汤凉血清热解毒,自然铜、骨碎补、熟地黄、龟板、续断、杜仲等补肝肾壮骨,姜黄、桑枝、土鳖虫引药达病所,又善于守方,治疗符合恶性肿瘤热毒入骨的实际。患者坚持用药近 2 年,达到了防止复发、生长新骨的目的。

蓝某,男,26 岁,广西柳州人。因皮肤斑疹 1 个月于 2005 年 11 月 14 日来柳州市中医医院肿瘤科门诊就诊。患者自述 14 个月前发现颈部一无痛性肿块,于柳州市肿瘤医院诊断为霍奇金淋巴瘤(淋巴细胞为主型Ⅳ期),并进行放化疗治疗。1 个月前患者皮肤出现斑疹,在外院皮肤科治疗无效。现症见:身体肥胖,肢体粗壮,面红,四肢皮肤散在红色斑疹,无痛痒,乏力,气喘,口干,舌红,苔厚,脉沉数。查体:颈部可触及肿大淋巴结,胸部 CT 示纵隔淋巴结肿大。诊断:霍奇金淋巴瘤放化疗后。中医诊断:失荣。辨证:实热体质,放化疗后,热盛入血,血热成毒。治法:凉血清热解毒。方药:犀角地黄汤加减,水牛角 30 克,生地黄 30 克,牡丹皮 12 克,赤芍 12 克,夏枯草 15 克,连翘 15 克,生石膏 30 克,知母 12 克,败酱草 30 克,地榆 30 克,茜草 30 克,龟板 15 克,鳖甲 30 克,紫草 15 克。4 剂水煎服,每日 1 剂。复诊自述皮肤斑疹消退大半,后适当加减,坚持服药 1 个月后皮肤斑疹完全消退。2010 年 2 月 25 日,第 43 诊,患者服药 4 年余,效果稳定,其间多次复查未见复发及转移迹象,仍以上方加减,间断服药,巩固疗效。其后几年,因患者忙于工作,且未见复发、没有不适,就让家人代为取药。截至 2017 年7 月,未见复发。

莫某,男,37 岁。2007 年 4 月 12 日初诊。主诉患非霍奇金淋巴瘤 1 年半,化疗后。症见失眠,声如洪钟,舌边尖红,苔薄,脉弦。复查未见复发转移。病属失荣,证系血中热毒未尽。治疗以犀角地黄汤为主,凉血泻热。方用:水牛角 30 克,生地黄 30 克,牡丹皮12 克,赤芍 12 克,土贝母 15 克,半夏 15 克,夏枯草 30 克,猫爪草15 克,玄参 12 克,生牡蛎 30 克,鳖甲 30 克,柴胡 12 克,黄芩 12克。15 剂水煎服。其中,土贝母、半夏、夏枯草、猫爪草、玄参、生牡蛎、鳖甲化痰散结以防余痰结滞,柴胡、黄芩解郁清热。2016 年 1月 23 日,莫某因颈淋巴结肿大就诊,观其舌,淡红而中有裂纹,嘱实热体质,火热虽熄,灰中有火,阴液已伤,仍服上方。此病例中虽然不敢说单纯中药能治愈恶性淋巴瘤,但在防止复发上功不可没。

马某,女,52 岁,陕西合阳人。2013 年 4 月 3 日以煤气中毒 4个月到西安市中医医院就诊。患者头痛,头脑不清,面赤如妆,需要陪护。脑电图:脑缺血、缺氧改变。舌红,苔黄,脉弦数。证属血中热毒,痰蒙清窍。治当清热凉血解毒,化痰开窍,以犀角地黄汤合温胆汤化裁(颗粒剂):水牛角、生地黄、牡丹皮、赤芍、石菖蒲、远志、栀子、法半夏、茯苓、陈皮、枳实、瓜蒌、川芎、天麻、白术、白芍、灯芯草、荷叶各一袋,30 剂,每天 1 剂,开水冲化,分两次服。2013

年 5 月 1 日复诊,自觉症减。守方两月,2013 年 8 月 7 日患者单独来诊,貌如常人,偶头痛,舌红,脉弦。仍守前方 30 剂。2019 年初偶然听人提及她早已痊愈。

刘某,女,53 岁。于 2014 年 5 月行子宫内膜癌手术,放疗后,2015 年 12 月发现骶骨、双侧髂骨、右侧髋臼、左侧坐骨上肢多发转移,前来就诊。治疗使用独活寄生汤加味,患者坚持服药 1 年多。2016 年 12 月 13 日 MRI 复查,病灶较前缩小。2017 年 6 月 19 日复查,骨病灶消失,双侧腹股沟区多发淋巴结,左侧腹股沟区淋巴结稍肿大,最大 7 mm×11.5 mm。2017 年 7 月 2 日来西安就诊,患者口苦,消瘦,眠差,大便时腹痛,便后痛消,舌暗红,苔薄黄,脉弦数。证属痰瘀凝结少阳。治疗使用小柴胡汤加味:柴胡 12 克,黄芩 12 克,半夏 12 克,生晒参 12 克,生牡蛎 30 克,甘草 12 克,夏枯草 30 克,土贝母 15 克,土茯苓 30 克,鳖甲 30 克,莪术 12 克,瓦楞子 30 克,猫爪草 15 克,海螵蛸 15 克,茜草 10 克,桃仁 12 克,白花蛇舌草 30 克,王不留行 20 克。30 剂,水煎服。

许某,女,63 岁。于 2016 年 6 月 5 日在西安益群堂国医馆初诊,主诉右胫骨造釉细胞瘤术后 2 月余,右下肢水肿、隐痛,右膝关节疼痛,腰痛,偶咳,痰白黏,胸闷,气喘,便秘腹泻不定,耳鸣耳聋,视物不清,舌红淡胖,苔白,脉数。证属肝肾亏虚,风寒入中,癌毒蚀骨,血水不利。法当补肝肾,壮筋骨,祛风寒,活血利水。方选独活寄生汤加味:独活 12 克,桑寄生 12 克,秦艽 12 克,菊花 12 克,骨碎补 12 克,知母 12 克,黄芩 12 克,龟板 15 克,牛膝 30 克,杜仲 12 克,紫菀 12 克,款冬花 12 克,瓜蒌 30 克,防己 12 克,黄芪 30 克,地骨皮 12 克,土鳖虫 10 克,自然铜 30 克,水蛭 12 克,泽兰 15 克,猪苓 15 克,车前草 12 克,平盖灵芝 6 克。25 剂,每日 1 剂,水煎服。其儿媳通过微信告诉我患者服药后大便溏,乃至腹泻,我回答这是排毒的一种反应,药方中没有至腹泻的药,嘱其继续用药。其后,即6月18日至21日4天时间我因在柳州举办《王三虎经方抗癌讲习班》,每天连续讲授8小时,没时间上网和接电话。结果21日晚看到患者家属措辞严厉的短信:老太太每日腹泻多次,食欲受到影响,你若不及时回信,后果自负。我当即解释缘由,并建议患者尽快住院治疗。2016年7月3日复诊,患者右下肢水肿减轻,但服药腹泻,停药后又肿,耳鸣减轻,头晕,牙痛,右膝、踝关节疼痛,口干,多饮,舌淡胖,苔白,脉滑。药已对症,因还有10剂药未服,乃于上方加葛根30克,黄连3克,共20剂。患者家属问可否先取几剂,怕服药后又引起腹泻。我突感言语好熟悉,恍然大悟,就开玩笑地指着她说:"'威胁'我的人就是你啊。"她不好意思地回答:"停你药后另找别的大夫治疗,腹泻倒是没有了,但腿又肿得不行,所以才又来找你看病"。我说:"这样的话,我还真得另开处方。"开方:车前草30克,怀牛膝15克,独活12克,茯苓15克,猪苓18克,葛根30克,苍术12克,桑寄生12克,防风12克,细辛3克,山楂12克,生麦芽12克,黄连6克,桂枝15克,徐长卿20克。7剂。因服药后腹泻这种情况太常见,所以我也很注意。我研究后发现栀子、白芍、石膏用量大的话容易引起腹泻,《伤寒论》81条:"凡用栀子汤,患者旧微溏者,不可与服之。"280条:"太阴为病,脉弱,其人续自便利,设当行大黄芍药者,宜减之,以其人胃气弱,易动故也。"而麻子仁丸治疗的便秘,虽明言"胃强脾弱",但因无泻胃之药而差强人意。所以,我反其道而行之,常使用这几味药达到治疗便秘的目的,有腹泻倾向者就特别留意。我女儿王欢说她自从听了我这样的论述,(有意无意用了我的思路和方法)所治疗的患者中几乎没有苦恼于便秘者。第二,《伤寒论》278条,"至七八日,虽暴烦下利日十余行,必自止,以脾家实,腐秽当去故也"也使我茅

第四章 老年梦——宣扬经方

塞顿开,不然怎么也解释不了明明没有通便药却腹泻如注,原来是脾气恢复,运行有力,排毒外出啊。第三,2016 年 7 月 9 日我看到《孔氏医案》(1988 年山东科学技术出版社出版)有"经络之风,提之可从皮毛出,脏腑之风驱之可从大便出"之语,方才知道本案服药腹泻是风从大便出的表现。

独活寄生汤治疗痹症较为常见,但治疗发热较为罕见。6 年前我在柳州诊治过一个老太太,患者高喉咙大嗓子,说自己发烧 3 年多,伴有多处关节痛,辗转求医,无药可医。我一开始用白虎桂枝汤治疗,但效果不理想。取巧不成,只能慢慢来,后用独活寄生汤加十大功劳,大约 30 剂,患者热不再发,关节疼痛消失。无独有偶,姜姓患儿,21 个月大,断续发烧 7 个月,中西医多方治疗无效果。经渭南同仁推荐,患者于 2019 年 9 月 2 日在西安天颐堂中医院初诊:发烧以白天为主,最高 40.7 ℃,每天发烧一到两次,服用退烧药才能退烧。手指关节肿胀变成橄榄状,腹股沟淋巴肿大,面黄肌瘦,泪流两行,白细胞 16.44×10^9/L,血小板 728×10^9/L,舌淡脉弱。西医诊断:幼年特发性关节炎。我认为病因为风邪,家属连连点头。原来患儿小小年纪,经常吹空调,且温度较低,设定在 16 ℃。治疗采用独活寄生汤合补中益气汤加味。组方:桑寄生 12 克,独活 12 克,秦艽 12 克,防风 12 克,细辛 3 克,川芎 12 克,当归 12 克,生地黄 12 克,白芍 12 克,桂枝 10 克,茯苓 10 克,杜仲 12 克,川牛膝 12 克,生晒参 10 克,炙甘草 10 克,黄芪 10 克,升麻 6 克,柴胡 6 克,败酱草 15 克,连翘 15 克。水煎服,一剂分六次,一天三次。2019 年 9 月 12 日复诊,查血提示白细胞 12.71×10^9/L,血小板 589×10^9/L,病情明显好转。孩子服药后发热两次,最高 38.5 ℃,开始服药后出现冷汗、背痒,近日出现腹泻、流清涕,食可,舌淡,脉弱,面黄。药已见效,冷汗、背痒、腹泻、清涕皆是风邪外出的表现,原方继续用28天。这个患儿的情况与上述老太太何其相似,只不过患儿脏腑娇嫩,面黄肌瘦也提示中气亏虚。补中益气汤就是甘温除大热的妙方,此时不用更待何时? 两方相合,药味多,剂量大,实出无奈。

2017年6月2日,一患者到西安市中医医院就诊。主诉:口干、眼干六年,下肢皮肤紫癜三年,曾用多种方法治疗无效且日渐加重。现病史:口干,眼干,少泪,下肢皮肤紫癜并不断扩大,已漫延至腹部,色暗红,无高出皮肤,无瘙痒,活动后下肢困,睡眠可,二便调,舌红少泽,苔燥,根黄。证属肾阴亏虚,热毒入血。治疗采用知柏地黄汤合二至丸、犀角地黄汤加味。30剂。2017年7月5日,患者二诊,服药十几天见效,病灶范围明显减小,口干、眼干症状也明显减轻,舌脉变化不大。开方60剂,每日1剂冲服。一方颗粒:生地黄3袋,赤芍1袋,牡丹皮1袋,女贞子2袋,墨旱莲2袋,知母1袋,盐黄柏1袋,熟地黄1袋,茯苓1袋,泽泻1袋,山药1袋,地榆2袋,连翘2袋,茜草1袋,天花粉2袋,石斛1袋,天冬2袋,五味子1袋,紫草2袋,大青叶2袋,大黄1袋,石膏2袋,黄芩1袋,苦参1袋。我仍记得在这个病案下我的按语:医生是个好职业,除过和其他职业一样取得劳动报酬,养家糊口外,还很有成就感。

言归正传。2017年7月我年满60岁,离开柳州,开始了宣扬经方之路。2017年7月3日柳州的刘女士专门赶到西安,感谢我用经方治好了她的白血病,这也使我更加坚定了宣扬经方的信念。

2017年7月9日,"王三虎教授抗癌经验讲习班"成功举办。14日我回老家,看望父母以及我的伤寒启蒙人党学都老师、纯中医临床思维模式奠基者李景堂老师,其间大家一起拍照录像,不亦乐乎。

2017 年 7 月 16 日，我在广州做了"妇科肿瘤的经方治疗"的讲演，首次阐明了我从妇科肿瘤角度对《金匮要略·妇人杂病脉证并治第二十二》："妇人之病，因虚、积冷、结气，为诸经水断绝。至有历年，血寒积结胞门，寒伤经络，凝坚在上，呕吐涎唾，久成肺痈，形体损分。在中盘结，绕脐寒疝，或两胁疼痛，与脏相连，或结热中，痛在关元。脉数无疮，肌若鱼鳞。时着男子，非止女身。在下来多，经候不匀，令阴掣痛，少腹恶寒，或引腰脊，下根气街，气冲急痛，膝胫疼烦，奄忽眩冒，状如厥癫，或有忧惨，悲伤多嗔，此皆带下，非有鬼神。"这一段疑难经文的解读。

2018 年我赴澳洲讲学期间接诊了一些患者，其中有一位患者后来给我发微信："王教授，非常感激您的帮助，通过服用您开的中药，我的皮肤问题已经彻底好了，这对我来说简直不可思议，万分感谢！"看到患者这样的回馈，我也很高兴。我对这个患者的印象很深，当时患者情绪低落，压力很大，在怀孕第四个月开始出现痒疹（pruritic urticarial papules and plaques of pregnancy，PUPPP），据产科医生说其发生与怀孕有关，产后会自行解除，因此患者在怀孕期间没有采用任何药物治疗，选择了忍耐等待。怀孕的 6 个月期间其症状表现为：从大腿内外侧和臀部开始起疹子，瘙痒难忍，抓挠后有充血破损，随着孕期发展面积逐渐扩大到上身、后背、胸口、四肢。直到生产前最后两周突然在肚皮和下肢出现荨麻疹，每天反复发作但没有明显充血水肿。产后 2 周内痒疹如期逐渐消失，但同时荨麻疹症状突然加剧，混合破损，并且伴随红肿及大面积充血性色斑。患者开始尝试服用各种抗组胺过敏药物治疗，但几乎没有效果，甚至症状加剧，直至产后第五周，荨麻疹持续存在没有消退迹象。患者在此期间有接受过中医针灸治疗，但症状均无明显改善。后来患者来找我诊治，我开了 7 剂内服中药和 3 剂外用洗泡中药,患者用药5剂后症状就逐渐消失了。其内服方是由犀角地黄汤合白虎汤化裁而来,处方:生地黄30克,牡丹皮12克,赤芍12克,黄芩12克,知母12克,生石膏30克,甘草10克,白蒺藜30克,黄连6克,防风10克,乌梅10克,五味子10克,7剂。外洗方如下:地肤子30克,白蒺藜30克,苦参30克,蛇床子30克,地榆30克,防风30克,菊花15克,甘草10克,黄芩18克,3剂。

2017年12月28日第七届国际经方班在深圳举行。我荣幸地得到了开场演讲的机会。因为有17位演讲者,我没有细看会议安排,就按1小时的时长准备了《大肠癌的经方治疗》演讲主题。结果,会议安排我讲两小时,多出来的1小时,我只好让大家提问题,我来回答。整整一小时的问答,我与观众互动热烈。这也为我到深圳市宝安区中医院就职奠定了基础。同年12月我就正式开始了每月7天的深圳工作。先成立了"王三虎经方抗癌工作室",次年获批建立了"王三虎广东省名中医工作室"。

龙女士,34岁。2017年10月初开始头痛并有紧绷、双侧电流感,伴呕吐,全身易出红色风团,洗澡后明显。曾用吴茱萸汤加味治疗无效。11月14日深圳初诊:恶风汗出,头项痛,其气上冲,皮肤有风团,舌尖红,苔薄脉弱。病属太阳病,中风症。予桂枝加葛根汤加味,祛风解肌。处方:桂枝15克,白芍15克,生姜4片,大枣6枚,炙甘草12克,葛根30克,生石膏30克。2017年12月28日深圳市宝安区中医院复诊。自述服药4剂后头痛缓解,但头部两侧仍有拘谨感,咳嗽、喷嚏时头顶痛,无头晕,时有风团,头皮发痒,搔之成疳,肩背乃至头部其气上冲多年,舌体胖,舌淡红,苔薄黄,脉缓弱。仍属太阳、少阳合病,治当祛风解肌,兼以疏利少阳风热。处方:白芍30克,炙甘草12克,桂枝15克,大枣30克,牡丹皮12克,辽藁本片12克,桑叶12克,生石膏30克,生姜4片。每日1剂煎服,分两次服用,每次150 mL,共7剂。《伤寒论》第15条:"太阳病下之后,其气上冲者,可与桂枝汤,方用前法;若不上冲者不得与之。"今有验也。桑叶、牡丹皮泻少阳血分风热,是我学习叶天士的经验,可补充小柴胡汤只泻少阳气分热之不足,多年有证,故而用之。

2017年12月30日,中华中医药学会中医馆联盟、大家中医联合评选"2017中医临床家十大好书好课",揭晓的榜单中《活用经方让你成为抗癌专家——王三虎经方抗癌线上班(音频)》榜上有名。

2018年1月22日,收到患者李先生微信:"王教授你好,打扰您了,我之前因夜晚时经常左上腹剑突周围疼痛就诊,吃完您开的7剂药后,再无发作,白天时的疼痛感及后背痛也减轻了,请问王教授还需要继续吃药吗?"我回信:"请把当时的病情及舌苔脉象发给我。"回信:"夜晚睡觉时我左侧上腹剑突周围疼痛至醒有一年多了,白天按此部位有压痛,干活时后背疼痛明显,当时的舌苔、脉象我记不清了。做胃镜诊断为慢性浅表性胃炎,彩超正常,幽门螺杆菌阳性。您当时开的药方:姜半夏15克,黄芩12克,黄连9克,党参12克,干姜12克,大枣6个,炙甘草9克,枳实12克,桂枝12克,当归12克,川贝6克,苦参12克。现在还有尿急,咳嗽、打喷嚏时漏尿的症状,想请您给我开方治疗。"我回信曰:"原方加黄芪30克,继续服一个月。"同样是寒热错杂,半夏泻心汤以痞满而不痛为着眼点。如果胃痛,就是《伤寒论》第173条对应的方证:"伤寒,胸中有热,胃中有邪气,腹中痛,欲呕吐者,黄连汤主之。"也就是说,半夏泻心汤是寒热相当,而黄连汤则是寒多热少。《内经》曰:"因寒故痛也"。所以,去黄芩之苦寒,增加散寒止痛降逆的桂枝。一药之变,大相径庭。经方之妙,可见一斑。小便的问题,我遵张仲景《金匮要略·妇人妊娠病脉证并治第二十》："妊娠小便难，饮食如故，当归贝母苦参丸主之"，效验多多，无男女之异。虽未说好转，守方不移，加黄芪补中益气可矣。

2018年2月27日，收到王三虎经方抗癌进阶班学员陈贱平医师微信："王老师，向您报告一个病例并请您给予指导：患者，女，62岁，2017年在南昌大学第二附属医院诊断为急性淋巴细胞白血病，未化疗，当时白细胞数为5万，于2017年1月7日带着南昌专家的处方让我抄方，至9月7日白细胞增多到10万9，此时患者决定要我开方。患者面色无华，神疲乏力，时感头晕，食欲二便均可，舌质淡胖，苔薄少黄，脉细数无力。初诊处方：败酱草30克，青黛3克，蒲公英15克，龙葵20克，半枝莲15克，白花蛇舌草20克，甘草10克，炙黄芪20克，当归12克，川芎10克，白芍15克，丹参15克，熟地黄12克，山萸肉30克，枸杞子12克。10月10日复查白细胞减少到9万4，加大败酱草至40克，11月18日白细胞减少到5万4，加淮山药10克，12月19日白细胞减少到4万9。上次已经加了瓦楞子30克，牛膝30克。患者现精神可，已无不适，但右侧腹股沟的淋巴结比原来更大了一些，另外颈部和左侧腹股沟各有两个肿大的淋巴结无变化。2018年1月23日白细胞降到了3万7。2月27日复诊两颔下淋巴结继续肿大，腹股沟淋巴结稳定，加了浙贝母15克、牡蛎10克，请王老师指导应该怎样加减药物。"我回复："再加鳖甲30克，煅牡蛎30克，加强软坚散结功效。"我发现白血病的主要病机是血中热毒，以大剂量败酱草为主的自拟方，灵感来自于败酱草能"化脓血为水"。同时，陈贱平医师还提供了另外一个案例：患者，男，63岁，肝癌伴纵隔、肋骨转移，腹胀、胸痛、咳嗽、盗汗、口苦口干、心烦、舌质淡暗、苔少。患者于2017年11月21日初诊，首用柴胡桂枝干姜汤加味14剂，腹胀减，咳嗽盗汗止，胸痛依旧,日服吗啡二片。12月4日复诊,听了王三虎老师的讲座加木防己汤7剂。2017年12月11日三诊,诉胸痛减半且日服吗啡减为一片,效不更方,上方再进7剂。说明王老师木防己汤治纵隔肿瘤的经验有效。2018年2月6日复查,患者其他情况稳定,但肋骨转移灶出现了病理性骨折,上方加骨碎补、煅然铜、土鳖虫,因有少量胸水另加葶苈子。

2018年2月14日,因求医而结识的湖南刘先生联系我:"王医生,我患坐骨神经痛有七十几天了,其间服药五十天一直没有痊愈,后连续四天针灸也没有效果,请您帮我治疗,现屁股到膝关节弯曲处疼痛明显,大小便正常。"患者舌暗红,苔薄黄,我以补肝肾,祛风湿,益气血,止痹痛的独活寄生汤为主方。组方:独活12克,桑寄生12克,秦艽12克,防风12克,细辛6克,川芎12克,当归12克,生地黄30克,白芍30克,肉桂9克,杜仲12克,牛膝15克,党参12克,炙甘草12克,龟甲20克,骨碎补30克,鹿角霜10克。共10剂。2月25日患者微信:"王医生您好,您开的10剂药我服完了,但脚还是有疼痛感,这几天每日三次大便,大便的性状跟之前不同,小便时有灼热感,蹲下一段时间后起身走路时屁股和脚疼痛,请您开方。"我依证有湿热之像,酌加清利湿热之品,改方为:独活12克,桑寄生12克,秦艽12克,防风12克,细辛6克,川芎12克,当归12克,生地黄30克,白芍30克,肉桂9克,杜仲20克,牛膝30克,车前草12克,党参12克,炙甘草12克,龟甲30克,骨碎补30克,滑石10克,薏苡仁30克。10剂。2018年3月2日患者微信:"我已经服药两个星期了,可从屁股到脚还是痛,请您告诉我是什么原因。"答曰:"任何病都不是绝对的,程度不同,治疗方法也有差异,即便感冒也是如此。"他竟有如下话语:"那我现在还要不要继续服用剩余的几剂药?诊金每次都要二百元,我还以为你真的行呢,结果是浪得虚名。我是个残疾人,一个月收入只有二千元,被你骗了四百元诊金病都没有治好。"我无语。2018 年 3 月 8 日微信曰:"王医生,您好。我不该那样说您,实在是对不起,请您原谅! 您的药我全部服完了,从服药第十七天起屁股到脚都不那么痛了,以前错怪您了,对不起,请原谅! 我从昨天开始大便有点稀,腰有点痛,现请您开方。另外,我的股骨头缺血性坏死也请您治疗。"乃再加强活血行瘀之力:独活 12 克,桑寄生 12 克,秦艽 12 克,防风 12 克,细辛 6 克,川芎 12 克,当归 12 克,生地黄 30 克,白芍 30 克,肉桂 9 克,杜仲 20 克,牛膝 30 克,车前草 20 克,党参 12 克,炙甘草 12 克,龟甲 30 克,骨碎补 30 克,滑石 15 克,苍术 12 克,桃仁 12 克,红花 12 克,薏苡仁 30 克,共 10 剂。当医生难,当名医更难,要做到宠辱不惊,不计前嫌更难上加难。2019 年 11 月 8 日又接到微信:"我是 2018 年 2 月您诊治坐骨神经痛的患者,吃了一个月的药后,病基本好了,但还遗留有一点问题,膝弯窝疼痛一直没有痊愈,最近疼痛比之前更加严重了,屁股到大腿都有点不舒服,请问有什么办法能治疗呢? 吃饭、睡觉、大小便正常。"我开方如下:独活 20 克,桑寄生 15 克,秦艽 15 克,防风 15 克,细辛 6 克,川芎 15 克,当归 15 克,生地黄 30 克,白芍 30 克,赤芍 20 克,油肉桂 10 克,茯苓 12 克,焦杜仲 15 克,川牛膝 30 克,党参 15 克,炙甘草 15 克,烫骨碎补 30 克,肿节风 30 克,千年健 15 克,石楠藤 30 克。寄药 30 剂。

2017 年 3 月 1 日收到微信:"王老师您好,我岳父患痛风结石二十余年,前两年去柳州参加您的学习班得您赐方,原方陆续服用几年了,效果良好。近 1 周发烧后出现患处肿胀明显,瘀紫,怕有缺血性坏死,望老师辛苦赐方。"附原方:山慈菇 15 克,土茯苓 30 克,萆薢 30 克,青皮 15 克,陈皮 12 克,半夏 12 克,茯苓 30 克,独活

15 克,桑寄生 12 克,秦艽 12 克,防风 12 克,细辛 3 克,川芎 15 克,当归 12 克,地黄 20 克,白芍 12 克,肉桂 6 克,杜仲 12 克,牛膝 15 克,羌活 12 克,党参 12 克,黄芪 30 克,车前草 15 克,甘草 6 克。我依据患者双下肢红紫,舌红绛,诚如仲景所谓"血证谛也",乃回复:"血热血瘀,湿热成毒,水牛角 30 克,生地黄 60 克,赤芍 60 克,牡丹皮 20 克,金银花 30 克,连翘 30 克,土茯苓 30 克,车前草 15 克,栀子 20 克,黄连 15 克,黄芩 15 克,黄柏 12 克,甘草 20 克,怀牛膝 30 克,薏苡仁 30 克,苍术 12 克。"2018 年 3 月 9 日,在王三虎抗癌师承班微信群有信息:"我岳父痛风感染,原担心要截肢了,得王老师赐方,疗效明显。"

廖某,男,36 岁,广西柳州人。2011 年 8 月 16 日初诊。患者自述 1 个多月前出现无明显诱因身黄、目黑黄、小便黄,伴乏力、纳差、皮肤瘙痒,偶有上腹部胀痛,大便灰白色,在某医院住院治疗。查肝功能:TBIL 130.2 μmol/L,DBIL 90.3 μmol/L,ALT 70 μ/L,AST 87 μ/L。排除肝炎病毒及 HIV 感染等,抗核抗体谱均阴性。腹部 CT 及胆道水成像检查未见明显异常及梗阻。经护肝及免疫抑制治疗,患者胆红素值进行性上升,建议行 ERCP 检查,患者拒绝,自行出院后又在某中医院消化科住院,各肿瘤标志物均阴性,行肝胆MRI提示胆囊炎,予以中西医结合护肝、改善微循环、激素冲击等治疗,肝功检查指标相对稳定,但 TBIL 居高不下,已上升至 440 μmol/L,自行出院。现患者门诊求治,症见身黄、目黄、小便黄,面色晦暗青滞,表情淡漠,愁容满面,皮肤微瘙痒,下肢静脉曲张,乏力,口干,纳少,大便灰白色,质软易行,夜寐尚可,发病后体重减轻约 6 kg,舌暗淡,有瘀斑,苔白腻,脉沉细。病属黑疸,证为肝气郁结不解,瘀血内阻成毒,脾肾虚寒,胆汁不循常道。以柴胡桂枝干姜汤加味,疏肝化瘀,温补脾肾,利胆排毒。药用:柴胡 12

克,黄芩 12 克,法半夏 12 克,桂枝 12 克,干姜 12 克,红参 12 克,土
鳖虫 10 克,大黄 10 克,水蛭 12 克,益母草 30 克,白豆蔻 10 克,黄
芪 50 克,山药 15 克,枸杞子 12 克,薏苡仁 30 克,白术 30 克,鸡内
金 18 克,山楂 15 克,麦芽 30 克,鳖甲 30 克,棉茵陈 60 克,山栀子
12 克,垂盆草 30 克,金银花 10 克,竹叶 10 克,黄柏 10 克,秦皮 10
克,虎杖 10 克,当归 12 克,浙贝母 15 克,苦参 12 克,厚朴 10 克,鸡
骨草 30 克,田基黄 30 克,炙甘草 6 克。4 剂,水煎服,每日 1 剂。
患者自觉效可,因费用报销等原因,8 月 19 日以"黄疸查因,胆管
癌?"收入院,查肝功:TBIL 373.1 μmol/L,DBIL 233.0 μmol/L,
IBIL 140.1 μmol/L,TBA 36.5 μmol/L,ALB 34.8 g/L,γ-GGT
83 μ/L,CHE 3475 μ/L;CEA、CA-50、肾功能、大便常规、尿常规均
正常。以上方为主,配合保肝治疗。2011 年 9 月 2 日,患者复诊,面
目黑黄变浅,纳增,下肢静脉曲张明显改善,舌暗淡,瘀斑变浅,苔薄
白,脉沉缓。查肝功:TBIL 311.0 μmol/L,DBIL 196.2 μmol/L,IBIL
114.8 μmol/L,TBA 26.1 μmol/L,AST 55 μ/L,γ-GGT 176 μ/L,
CHE 2936 μ/L。效不更方。2011 年 9 月 14 日再诊,患者面目萎黄
微黑,气力增加,精神开朗,信心增加,舌暗淡,瘀斑变浅,苔薄白,脉
沉缓。复查肝功:TBIL 110.9 μmol/L,DBIL 75.0 μmol/L,IBIL
35.9 μmol/L,AST 46 U/L,γ-GGT 116 U/L,CHE 4095 U/L。
仍用前方。2011 年 11 月 11 日诊,患者面目萎黄,舌暗淡,苔薄白,
脉沉缓。复查肝功:TBIL 7.1 μmol/L,DBIL 15.1 μmol/L,余均
正常,痊愈出院。截至 2015 年初,廖某偶来门诊治疗下肢静脉曲
张等些许不适,可正常工作。2018 年 3 月初,患者发微信告诉我,
因持续腹痛,查 CT:中腹区占位,性质待定,右侧腹腔及腹壁多发
增粗迂曲血管影。我建议面诊。2018 年 3 月 16 日患者来诊,诉小
腹疼痛难忍 10 天,腰部胀痛,大便溏。2018 年 3 月 8 日彩超:前列

腺增生(前列腺 50 mm×40 mm×37 mm)双肾钙乳囊肿(13 mm×10 mm、12 mm×10 mm),膀胱残余尿 120.4 mL。舌质红,苔黄厚,脉沉细。患者及家属压力很大,心情急迫。我开玩笑说:"什么呀,你的前列腺还没我的大。你有静脉曲张病史,长期不用药,血水互结,在所难免。"果然,患者腹壁下肢静脉曲张如蛇。病属癃闭,证系湿热下注,血水互结。法当清热利湿,疏利三焦,活血利水。但多病之体,阴液暗伤难免,只不过被湿热之像掩盖而已,这就是辨病的必要性。方选当归贝母苦参丸、小柴胡汤合通关丸。处方为一方颗粒剂,14 剂,冲化,每日一剂。次日一早,夫妻俩分别发微信给我,意思相近:昨天服药后,睡觉之前还担心半夜若是疼痛难忍了还要服用止痛药,结果昨晚居然不用服药,经方太神奇了,非常感谢王教授的诊治。黑疸出自《金匮要略》,但和现代医学对照较难。临床上我发现黑疸除肝胆恶性肿瘤外,也有普通的病症。这个患者在住进我院之初,曾有医生要求其去北京乃至美国诊治。正因为如此,反衬出了中医辨证论治的优势,我很自豪。更自豪的是,前后好几年,患者生病了还能想到我、找到我,且使用经方、时方仍能取效。

2018 年 1 月 20 日收到河南驻马店的邓先生的微信:"王教授您好,我于 2018 年 1 月 7 号慕名去驻马店市中医院听了您的课,课后请您为我父亲开了方,到今天吃了 10 天了,我父亲神志恢复了一些,情绪也有所稳定,就是每天早上四五点钟发虚汗,热得不行。还望您抽空回复。"我回信:"请把当时的病情和舌苔脉象发给我。"回信:"我父亲患癫痫和精神狂躁症 2 年,各处治疗一直都没有好,最近反而越来越严重了。因为病情复杂,患病时间又长,我担心说不清楚,把 2017 年 3 月在驻马店市精神病院住院时的出院证发给您,上面有病情记录。您开的药有:柴胡 12 克,黄芩 12 克,姜半夏 15 克，龙骨 15 克，煅牡蛎 15 克，人参 10 克，黄连 9 克，陈皮 12 克，茯苓 12 克，枳实 12 克，竹茹 12 克，远志 9 克，石菖蒲 12 克。老人现在食欲还可以，大小便正常，无入睡困难，但没精神。"驻马店市精神病院 4 月 20 日出院证上病情摘要如下：患者邓某，男，64 岁。2017 年 3 月 13 日入院。患者阵发性肢体抽搐 1 年，躁动，乱语 4 天。既往发病时四肢抽搐伴呼之不应，口吐白沫，两眼上翻，口唇发绀，发作后有头痛，一般半小时后恢复正常。发作无规律，多于夜里发作。近 2 月来，病情加重，严重时一天发作 2 次。最近 4 天，患者出现在家乱找东西、彻夜不眠、躁动等表现，有时骂人，拒绝进食和服药。出院诊断：①谵妄状态；②症状性癫痫；③腔隙性脑梗死；④脑白质脱髓鞘改变；⑤脑萎缩；⑥冠心病；⑦心肌梗死搭桥术；⑧高血压 3 级（极高危组）；⑨脚面感染。我回信说："好的，知道了。原方加黄柏 12 克，砂仁 6 克，甘草 12 克。"2018 年 3 月 31 日邓先生微信："……我父亲喝了您开的药，到今天已经 80 天了，恢复得特别好，除了记忆力有点差，其余跟正常人一样，以前的病症基本都好了，后续还要服药么？服多长时间？希望您有时间回复一下，真心向您表示感谢！"我回复："方不变，吃够 100 剂停药观察。"根据家属叙述，我判定患者证属痰热扰心、胆经不宁，使用柴胡加龙骨牡蛎汤合黄连温胆汤，其中包括了《千金方》的大定志丸（人参、茯苓、石菖蒲、远志），其次加用了益髓伏火的封髓丹（封髓丹出自《御药院方》，方由黄柏三两，缩砂仁一两半，甘草二两组成，可降心火、益肾水，主治心火偏旺、肾水不足之心肾不交、虚火上炎诸症）获得较好疗效，正应了孙思邈的话："人之所病病病多，医之所病病方少。"想看好病，就是要有方子。

张女士，50 岁。2017 年 4 月 15 日初诊，因晕厥发现恶性胸腺瘤两年，心包、胸腔、腹部积液，曾两次抽液，服十枣汤呕吐腹痛，拒绝手术。时值我在乌鲁木齐市中医医院讲学,以气阴两虚、痰饮内停立论,用木防己汤、葶苈大枣泻肺汤加味:防己 15 克,桂枝 12 克,生晒参 12 克,石膏 30 克,黄芪 40 克,党参 15 克,白术 12 克,太子参 12 克,葶苈子 30 克,大枣 50 克,杜仲 15 克,独活 15 克,海浮石 30 克,瓜蒌 30 克,天花粉 18 克,大黄 6 克,陈皮 10 克,浙贝母 15 克,瓦楞子 30 克,猫爪草 15 克,茯苓 12 克,炙甘草 12 克。水煎服,每日一剂。2018 年 3 月 28 日复诊,自述坚持服药一年,不变方则气力增,稍有变化则不适。刻诊:胸闷气短,口干,大便干,左下颌硬块如鸽卵,近日咯血三次,其中有块状物吐出,最大如小拇指。经近日复查 CT,心包、胸腔、腹部积液消失,右上纵隔不规则肿块 75.6 mm×52.8 mm,累及右肺上叶前段支气管起始部。患者口腔溃疡易发,心悸,口干,呕血晨起甚,舌红,苔薄黄,脉滑数。分析证候,宿疾虽已控制,痰饮消退不易,仍需固守阵地,然肝火犯肺之咳血为急,心胃之热当顾,痰毒成为主要矛盾,乃以木防己汤、黛蛤散、海白冬合汤加味:防己 15 克,桂枝 10 克,生晒参片 15 克,生石膏 80 克,玄参 30 克,海浮石 30 克,白英 30 克,麦冬 30 克,百合 30 克,炒杏仁 15 克,海蛤粉 30 克,青黛 6 克,土贝母 30 克,山慈菇 15 克,煅瓦楞子 30 克,代赭石 12 克,瓜蒌 30 克,黄连 10 克,姜半夏 30 克,甘草 10 克。14 剂。2018 年 4 月 15 日我恰巧又在乌鲁木齐市中医医院讲学出诊,其子持其舌及面部照片问诊,谓咯血止、口干减、睡眠好、气力增、大便畅、小便利,唯午后脚肿、左胸痛,舌苔黄厚。乃上方加知母 12 克,天花粉 30 克,土茯苓 30 克,前胡 15 克。后该患者多次网诊,安好如常人。

侯女士,65 岁。2014 年 10 月 1 日初诊:卵巢癌(IB 期)手术后 5 个月,化疗 6 个疗程。患者身疼,肝功异常,转氨酶升高,CT 可见左肺下叶磨玻璃结节,指甲黑,纳眠可,二便可,舌红脉数。方用治疗肝癌的基本方软肝利胆汤疏肝保肝,合治疗卵巢癌的基本方海茜汤加减补肝肾、软坚散结,以肃清残毒。处方:一方颗粒,30剂,每日一剂冲服。2014年11月3日第二诊:身痛减轻,转氨酶44 μmol/L,舌暗红,脉弦。上方不变60剂。随后患者每三个月来复诊一次,每次开药80剂,其间每三个月去医院全面复查一次,各项指标均正常,患者自诉各方面无不适,行如常人。至2015年12月底共服药310剂。2016年1月1日第六诊:双肾盂扩展积液,心悸胸闷,眠差,舌淡红,苔薄,脉数。现在肾积水成为患者的主要问题,拟在前方基础上合瓜蒌瞿麦丸及蒲灰散加减(颗粒剂):柴胡1袋,黄芩1袋,法半夏1袋,牡蛎1袋,白术1袋,茯苓1袋,土茯苓1袋,姜黄1袋,白英2袋,黄芪1袋,海螵蛸1袋,茜草1袋,天花粉1袋,甘草1袋,瓜蒌1袋,瞿麦2袋,蒲黄1袋,滑石1袋,黄连2袋,薤白1袋,肉桂1袋,30剂,每日一剂冲服。再次复诊时肾积水已消,病情稳定,守方治疗。至2018年4月底,持续治疗3年7个月,共服药1045剂。2018年5月7日第17诊:CT、B超、血液等各项指标复查均正常。患者精神气色尚可,失眠,多汗,腿软,舌暗红,脉数。其失眠堪虑,宿疾难忘。开方黄连阿胶汤合海茜汤加味,既不离基本病机,又以现症的失眠、腿软为主要问题开方(颗粒剂):黄连3袋,肉桂1袋,阿胶1袋,白芍2袋,杜仲1袋,浮海石2袋,白英2袋,麦冬2袋,蜜百合2袋,五味子1袋,龙骨1袋,煅牡蛎1袋,海螵蛸1袋,茜草1袋,醋鳖甲2袋,知母1袋,盐黄柏1袋,菊花1袋,地黄2袋,80剂颗粒剂,每日一剂冲服。抗癌是持久战,需患者及医生相互配合、坚持。

覃某,女,53岁。主诉:子宫内膜中分化癌术后5年半。2012年12月18日柳州市中医医院初诊病历:子宫内膜中分化腺癌ⅢC期术后半月,化疗1次。患者纳可,寐差,面黄,乏力,大小便可,舌暗红,苔薄白,脉弦细。以气血两虚立论,予八珍汤加味 30 剂。其后再化疗 5 次,复诊 16 次,因交通不便,每次带药 50～80 剂。守方并随症加减约 800 剂。2018 年 3 月复查,仅血糖、胆固醇偏高,其余未见异常。2018 年 5 月 14 日陪他人找我看病顺诊,无明显不适,面色如常,近两日走路后下肢疲倦,纳眠可,二便调,视力较前提高,略感怕热。治法:实则泻之,虚则补之,补肾培本。处方(颗粒剂):知母 1 袋,黄柏 1 袋,山萸肉 1 袋,山药 1 袋,牡丹皮 1 袋,泽泻 1 袋,地黄 2 袋,茯苓 1 袋,牛膝 1 袋,杜仲 1 袋。共 14 剂,每次 1 剂冲服,每日 2 次。患者最终治愈。

程某,男,31 岁。2016 年 9 月 27 日于柳州初诊。主诉:腹泻、卧床不起 1 年,其间多次因严重腹泻、低血压等原因住院抢救。患者视物不清,胸闷心悸,消瘦,患 1 型糖尿病 6 年,每日注射胰岛素 8 个单位,空腹血糖 10～20 mmol/L,血压 60/40 mmHg;乏力,口干不欲饮,食欲不振,怕冷怕热,恶心欲吐,烦热眠差,喜热食,食香、冷食物后胃酸胃胀,气上撞心,心中疼热,口唇干燥,需六七天缓解。舌淡苔薄,脉沉弦。病属消渴,证属寒热错杂,肝胃不和,升降失常。予乌梅丸加减 20 剂。2016 年 10 月 25 日复诊:效果明显,精神增,可下床行走,腹泻减,舌脉同前,仍用上方 20 剂。其后于 2016 年 10 月 15 日及 2017 年 3 月 18 日分别取上方加天麻 12 克、山萸肉 12 克各 30 剂。近 1 年来未再服中药。2018 年 5 月 14 日于深圳市宝安区中医院门诊就诊,大便基本正常,仍诉胸闷,晨起头晕,血压低,生活可自理,饥而不欲食。每日注射岛素 8 个单位,空腹血糖 8～10 mmol/L 之间,血压 78/50 mmHg。诊断:消渴。证型:寒热错杂。治法:虚则补之,寒热并用。处方:乌梅 10 克,黄连 15 克,黄柏 10 克,当归 10 克,细辛 5 克,肉桂 10 克,人参 10 克,花椒 5 克,干姜 10 克,附片(黑顺片)10 克,麸炒苍术 15 克,山药

15 克,玄参 15 克,天花粉 30 克,黄芪 50 克,桂枝 10 克,炙甘草 10 克。共 14 剂,每日煎 1 剂分两次服,每次 150 mL。该患者就是经上述患子宫内膜癌的覃女士介绍来找我看病的,覃女士此次也相伴而来。看到她渐如常人,生活能够自理,我的心情格外愉悦,乃鼓励其坚持用药,早日工作。

石女士,64 岁。2014 年 4 月 2 日于西安市中医医院初诊。上腹部隐痛 3 月余,20 天前胃镜病检:贲门胃中分化腺癌,行腹腔镜根治术,拒绝化疗。症见头晕乏力,面黄口苦,舌淡胖,脉沉,辨证为脾胃虚弱,给予颗粒剂六君子汤 5 剂。5 日后,症减呃逆,再合旋覆花代赭石汤 25 剂。5 月 7 日第 3 诊,守方 30 剂。6 月 4 日,患者肠鸣眠差,舌淡红,脉数,乃给予半夏泻心汤 25 剂。其后,连续就诊到 2016 年 2 月 1 日,共 18 诊,主方未变,每诊 25~30 剂,酌情配合养正消积胶囊。2018 年 6 月 6 日已停药两年余,刻诊,形体气色尚可,久别再见,格外亲热。自述多亏当年未化疗而选择中医。近日因事多劳累,乏力背困,口舌生疮半月,大便干,小便少,睡眠差,舌红苔薄,舌边溃疡如大豆,脉滑。时日已久,旧疾新作,仍是寒热胶结,胃失和降的基本病机。张仲景治疗口眼生殖器三联症——狐惑病用甘草泻心汤早就提示口腔溃疡有寒热错杂的病机。异病同治,仍守方再进 25 剂,处方(颗粒剂):半夏 1 袋,黄连 3 袋,黄芩 2 袋,党参 1 袋,生姜 1 袋,干姜 1 袋,大枣 2 袋,炙甘草 2 袋,海螵蛸 2 袋,浙贝母 1 袋,瓦楞子 1 袋,红参 1 袋,天麻 1 袋,枸杞子 1 袋,黄芪 2 袋,当归 1 袋,白术 1 袋,柴胡 1 袋,炒栀子 1 袋。

官女士,45 岁,珠海人。2018 年 5 月 16 日于深圳市宝安区中医医院初诊。主诉:间断抽搐二三年,伴右侧肢体活动不利。2016 年 4 月 15 日 MRI 示:左顶叶占位,胶质瘤?拒绝手术,断续用中药治疗。患者抽搐一般在月经前、睡眠中发作,由三月一次变为一月一次,最多时一晚 12 次,生气及疲倦时加重,现白天亦有发作,发作后长时间叹气。症状表现为汗多恶风,眠可,夜间手麻,大便秘结,自觉阴吹,经间期出血;长时间看书或看手机就会头晕眼花、颈痛等;经常夜晚时右脚无名趾痛,有时会痛醒,走动时右髋及右膝关节咔咔响;重度抽搐前几天大多会眼干涩,发病后常牙龈出血;每天早上起床有痰,原来多数是稀稀的清痰,现在越来越少了,偶尔会有少量的黄色或灰色黏痰;每周有两三天抽搐会严重发作。患者饮食以素食为主,每天艾灸、按摩腹部。其神清,精神可,面色晦暗、萎黄,舌质淡,苔白厚,舌下脉紫黑,脉沉弦。病属癫痫,证属风火痰瘀,上犯髓海。法当清风火,益脑髓,化痰瘀。柴胡桂枝汤加味:北柴胡 20 克,黄芩 15 克,姜半夏 30 克,人参 10 克,炙甘草 15 克,桂枝 15 克,白芍 30 克,生姜 4 片,大枣 6 枚,石菖蒲 20 克,制远志 10 克,茯苓 10 克,龙骨 20 克,煅牡蛎 20 克,胆南星 15 克,川芎 30 克,防风 20 克,蜈蚣 2 条,菊花 60 克,山药 30 克,当归 20 克,藁本 15 克。共 28 剂,每日水煎 1 剂,分两次服,每次 150 mL。2018 年 6 月 11 日微信:"王老师您好!我是您曾治疗过的珠海脑瘤患者,感谢您的治疗。我服药后,大多数症状消失,服 10 剂药后没有大的抽搐,但 20 剂药(经期第二天开始)后连续三天上午严重抽搐一次,偶有胸口不适,心烦心慌,夜间多梦,痰多,打嗝多。现右脚无名趾经常晚上痛醒,后脑勺处头皮痒,偶有其他地方疼痛,我觉得是吃药后的排病反应。因外出不便,请网诊开方。"乃在原方基础上加鱼脑石 20 克,荆芥 20 克,加强化痰祛风之功。

2018 年 6 月 30 日,在马来西亚吉隆坡举办的第八届国际经方班上,我和当年在南京读博士的仝小林学兄相遇,现在仝小林已经是中国科学院院士了。在此次会议上,我还结识了北京中医药大学王庆国副校长和在江西、深圳两地大名鼎鼎的姚梅玲老师。我在大会上有关"大肠癌的经方治疗"的演讲受到了新加坡中华医学会陈鸿能会长的赏识,当即邀请我和夫人到新加坡举办经方抗癌学习班。

2018年7月15日,台州市黄岩区中医院在耀达酒店举行了"经方抗癌——王三虎名医工作室揭牌仪式"。

海南某患者,女,2014年11月17日因甲状腺癌术后16年在柳州市中医医院就诊。自诉甲状腺癌术后行子宫肌瘤切除术、乳腺纤维瘤切除术,因肝脏结节(病理:甲状腺癌肝转移)行肝脏部分切除术。2014年11月CT检查发现双肺上叶多发性毛玻璃结节,我辨证为气阴两虚、痰浊上犯、心肝火旺,处方为小柴胡汤合自拟方二贝母汤。2015年1月13日,患者予外院因多发肺结节行胸腔镜部分切除手术,病理提示:肺腺癌。2015年2月12日第三诊,以小柴胡汤合自拟海白冬合汤加减治疗,反应良好。2015年11月15日第四诊,外院胸部CT提示:两肺多发毛玻璃小结节同前相仿;腹部MRI:肝内多发小结节,肾上极小结节,胰体部小结节;颈部彩超:右侧甲状腺实质不均质结节。给予自拟海白冬合汤合小柴胡汤加减治疗。2016年12月19日第五诊,因患者伴口舌干、灼热感,以自拟海白冬合汤合小柴胡汤加减治疗(百合30克,麦冬30克,蒲公英30克,海浮石30克,连翘30克,淡竹叶12克,黄芩12克,姜黄12克,山慈菇12克,瓜蒌15克,浙贝母12克,半夏12克,栀子12克,夏枯草20克,青皮10克,柴胡10克,黄连9克,甘草10克,龙血竭6克,路路通10克,土鳖虫6克)。患者自持此方服用一年,后四个月自己服用补益脾胃的他方治疗。2018年4月于上海行胸部CT检查发现肺部结节较前稍增大。2018年7月22日患者来深圳市宝安区中医院求诊。刻诊:精神状态良好,患者诉流清涕、打喷嚏,皮肤风团反复发作多年,舌火辣感四五年仍不减,偶有咽痒咳嗽,无痰,不喘,饮水少,睡眠佳,胃纳可,大便不匀,时溏时干,现服用优甲乐治疗。舌淡红,苔薄白,脉滑数。中医诊断:肺痿。证型:风寒外束,痰热瘀肺。治则治法:祛风解表清热,化瘀化痰散结,厚朴麻黄汤主之。处方如下:姜厚朴 30 克,麻黄 10 克,生石膏 40 克,黄连片 10 克,淡竹叶 10 克,姜半夏 15 克,瓜蒌 30 克,烫水蛭 10 克,燀桃仁 10 克,海浮石 30 克,连翘 30 克,麦冬 20 克,百合 20 克。共 5 剂,煎服,每日 1 剂,每日 2 次。"风邪入里成瘤说"我已经提出好几年了,但像这个案例中充分体现风邪入里成瘤的例子并不多。没有风邪作祟,患者怎么会在短短几年就出现甲状腺癌、子宫肌瘤等病症? 怎么能认定风邪的缠绵盘踞? 虽然我早就提出"肺癌可从肺痿论治",但对厚朴麻黄汤的深刻理解及其在肺结节上的充分应用还是从 2016 年开始的。今日之方,远少于以往,因为有了理论做基础,就能化繁为简。

2018 年 7 月 26 日,在山东淄博齐盛国际宾馆,"王三虎经方抗癌淄博工作站成立仪式"暨中医肿瘤学术研讨会成功举行。从此开始了我每月 5 天,为期四年的淄博行医生涯。

2018 年 8 月 12 至 17 日,我和夫人吴喜荣应邀赴加拿大温哥华参加第二届国际传统医学大会义诊演讲并举办专题经方抗癌学习班。其中有一个年长的女医师作诗:中医春天国外香,加拿大国有榜样。莫道年龄比我长,粉丝众多看女将。

2018 年 9 月 29 日、30 日,我在英国伦敦参加国际经方大会,有 20 多个国家,近 200 人参加会议。我与其他 7 位国内知名经方家在大会的主会场发表演讲。

2018 年 10 月 16 日下午,深圳市宝安区中医院 100 多位中医同仁参加了《中医抗癌进行时Ⅲ——随王三虎教授临证日记》新书发布会。我在会上做了《熟读经典就会有诗与远方》的学术讲座。

《中医抗癌进行时Ⅲ——随王三虎教授临证日记》洋洋洒洒三十八万余言,比前两本更能体现出我使用经方抗癌的实际情况。

2018年11月15日"医学博士王三虎教授工作室"在佳木斯市中医院成立。从此开始了我隔月两天的佳木斯行医生涯。

2019年3月9日,我作为新当选的陕西省名中医重返渭南,在"陕西省名中医王三虎工作室"开始了新的每月两天行医生涯。

易某,男,5岁,湖南人。2018年10月14日初诊。患急性淋巴细胞白血病4个月,化疗4次,颅内感染后查为中枢神经系统白血病,白细胞较前增高,某省级儿童医院建议终止治疗,其父也有此意,其母不忍,经朋友介绍千里迢迢来深圳市宝安区中医院王三虎经方抗癌工作室就诊。症见:神清,精神可,面黄,满月脸,水牛肩,恶寒怕风,发热时加重,汗出,眉间疼痛,食欲差,食量少,眠浅易醒,大小便可。舌淡红苔厚,舌下络脉正常,脉弱。诊断:血证,风热入髓。治法:补益精血,疏泄少阳,调和营卫。开处方柴胡桂枝汤加味:北柴胡12克,桂枝6克,姜半夏9克,黄芩10克,人参12克,白芍10克,炙甘草6克,大枣20克,生姜3克,醋龟甲10克,山药10克,山萸肉10克,五味子6克,巴戟天10克,枸杞子10克,女贞子10克,黄精15克,鳖甲10克,青蒿10克,骨碎补10克,鸡内金10克,桑椹10克,蜈蚣2克,全蝎3克。共5剂。每日一剂,分2至3次服用。2018年10月17日复诊:服药后诉身痒,双肘尤甚,身痛怕碰,食欲增加,偶有前额疼痛,皮下散在红色冒针头大小皮疹,大便稀,色黑。舌淡红,苔厚,脉弱。患者表现为风邪外出之像,当因势利导,在原方基础上加石楠藤10克,石膏30克,生地黄10克,牡丹皮10克,防风10克,荆芥10克,天麻10克,蒺藜10克。共14剂。2018年11月25日第三诊:主诉身痒,头皮个别散在红色冒针头大小皮疹。舌脉同前。效不更方,共45剂。2019

年4月22日第四诊:服上方后,前述症状消失。经济原因加上患儿已行如常人,乃停药。后因偶有头痛1月余,来我院复查颅脑磁共振,结果无异常。纳眠可,大小便正常。患儿个子见长,喜动爱笑,面色如常,舌淡红,苔薄,脉弱。仍用上方56剂。白血病是我专职从事中医肿瘤工作以前就颇有研究的疾病。二十年来,我诊治此病的阅历日渐丰富,对其思考不断深入,"风邪入里成瘤说"就是新学说的代表。风邪从少阳入骨髓,与伏毒相合,伤血动血,是我对白血病的最新认识。该患儿就是这种理论的受益者。当时其母问我可有把握,我答:"听天命,尽人心。"半年多过去,患儿病情得到控制,其父母喜出望外。当医生能有如此回报,夫复何求!

钟某,男,6岁。春节多食,食欲不振,大便干结难解,三五天一次。每逢大便,哭闹不安,即使用开塞露,仍哭闹不停。虽多次在消化科治疗,效果仍不好。后来深圳市宝安区中医院王三虎经方抗癌工作室就诊。2019年3月24日初诊,患儿面黄肌瘦,食欲不振,背部觉热,两个多月大便难解是主要矛盾。舌淡红,苔薄白,脉弱。乃过食伤脾,中焦积热,当健脾清热。治疗用六君子汤加栀子、石膏。处方(颗粒剂):党参10克,炒白术10克,茯苓10克,甘草3克,姜半夏9克,陈皮6克,栀子10克,石膏30克。14剂,冲服,一日一剂。2019年4月24日其母来感谢再三。代诉,服药3天,大便不难,一周后大便如常。孩子自己觉得这次的中药的确不一样,好吃,并解决问题,10天后食欲正常,后痊愈。从患者身上既看到脾虚,又看到热结,是我多年阅历使然。六君子汤使脾气健,胃气和则腑气下行。方中加栀子,乃是用《伤寒论》第81条:"凡用栀子汤,患者旧微溏者,不可与服之"的反面作用来清热通便。另外,石膏清阳明之热的通便作用也是我常年的用药经验。

李某,男,44岁,广州人。2019年3月28日初诊主诉:反复双耳渗水液,伴左耳流脓30年,加重3年。患者30年前出现双耳渗水液,伴左耳流脓,耳朵有憋闷感,于外院诊断为中耳炎,曾于广州某医院治疗后症状缓解。近三年病情出现反复,且症状加重,予西药耳浴以及内服多种抗生素治疗均无效。服用中药后耳朵堵塞感更甚。患者不堪其扰,恰逢其陪父来我经方抗癌工作室就诊,无意中透露其困扰。其症见:双耳仍有渗水液,左耳有脓,伴左侧头痛及右背疼痛。舌暗红,脉沉。诊断:中耳炎,肝胆湿热。治以清利肝胆,散结化痰,排脓开窍为法。以小柴胡汤合小青龙汤加减,处方:北柴胡12克,黄芩10克,姜半夏18克,党参10克,生姜9克,大枣20克,甘草6克,车前子30克,苍术20克,石菖蒲12克,远志12克,防风10克,蔓荆子10克,川芎6克,赤小豆20克,土茯苓30克,麻黄5克,桂枝6克,茯苓30克,泽泻20克,白芍10克,白芷6克,炒白术10克,细辛3克。共14剂,每日一剂,分2次冲服。患者于2019年4月23日陪其父再诊后,告诉我服上方14剂后,耳部渗水液、流脓症状基本消除,头痛消失。又说,近几十年因耳部困扰不敢饮酒,现在能小酌几杯,稍感不适而已,症状十去其九,几近痊愈。

经方的路越走越宽,不经意间"进京赶考了"。2019年5月17日,"全国名中医、经方大家王三虎教授聘任仪式"暨"北京超岱中医研究院经方研究所揭牌仪式"在北京超岱中医研究院举行,我就任北京超岱中医研究院首席临床家、北京超岱中医研究院经方研究所所长。

梁女士,50岁,深圳人。2018年10月18日在深圳市宝安区中医院王三虎经方抗癌工作室初诊:甲状腺乳头状癌术后近6年。冬天鼻腔干燥不适,易鼻衄,牙齿怕酸,声嘶,喉咙干燥,力气不足,健忘,头晕耳鸣时作,乳腺增生,子宫肌瘤,吃饭可,睡眠好,口气重,口苦口干,腰骶酸痛,经期腰腿酸困,汗多,易感冒,大小便正常,双肩拘谨,喜食水果。形体精神尚可,舌淡胖水滑,脉弱。病属虚劳,证系久病及肾,阴损及阳。法当补肾,以十味肾气丸加味治疗。方用:熟地黄 30 克,山药 15 克,山茱萸 15 克,牡丹皮 10 克,茯苓 10 克,泽泻 10 克,肉桂 5 克,附片 5 克,醋龟甲 20 克,酒黄精 20 克,干石斛 20 克,桑寄生 10 克,盐杜仲 15 克,牛膝 20 克,知母 10 克,黄柏 10 克,炒牛蒡子 10 克,甘草 10 克,白芍 10 克,玄参 10 克,生石膏 30 克。每日一剂,水煎服。2019 年 7 月 28 日复诊:连续服上方 28 剂,鼻衄止,鼻腔喉咙干燥明显改善,牙齿怕酸、松动,腰骶酸痛等症大减,仍有口气。2019 年 6 月 6 日体检,肠镜发现横结肠息肉(已钳除),活检"管状腺瘤"。胃镜:慢性非萎缩性胃炎。形体精神可,舌淡胖水滑,脉弱。仍属虚劳,久病及肾,胃肠之气不畅。治法:补肾为主,胃肠同治。处方:上方加败酱 30 克,薏苡仁 30 克,炒枳壳 15 克,黄连片 5 克,干姜 5 克。7 剂,水煎服。甲状腺癌多为少阳经痰热成毒所致,手术后体质难复。而本案特殊,久病及肾,阴阳两虚,已属虚劳范围。张仲景治虚劳以肾气丸为基本方。但本案偏于阴虚火旺,所以用孙思邈的十味肾气丸,即加玄参、白芍而成,酌加填精降火之品。患者复诊病症大减,兼见胃肠之气不通,仍守前方,增加通肠调胃之败酱草、薏苡仁、枳壳,乃取薏苡附子败酱散调肠,黄连、干姜辛开苦降和胃之力。药味虽多,绝非杂凑,病情需要使然。

钟某,1 岁,广东人。2018 年 10 月 19 日于深圳市宝安区中医院流派工作室初诊。出生后一周右额角出现米粒大小鲜红色丘疹,高出皮肤,后逐渐发展到约自身手指头大小。舌红,纹紫,过气关。病属血瘤,证属血热胎毒。治当清热凉血解毒,方选犀角地黄汤加味,处方(颗粒剂):地黄 10 克,牡丹皮 10 克,赤芍 10 克,黄芩

10 克,栀子 10 克,大青叶 15 克,连翘 10 克,金银花 10 克。28 剂,每日 1 剂,开水冲化,分 4～6 次口服,半月效显。患儿续断服药近 3 个月,其间外搽盐酸卡替洛尔滴眼液。一岁半时其皮肤已恢复正常。

2019 年 6 月 21 日我与夫人吴喜荣、翻译程丽丽一行三人,应邀访欧出行。这次访欧的起因还要从 2017 年夏季说起,当时因经学过中医的旅行社司机推荐,翻译程丽丽陪同克罗地亚 Sadikovic 医师为他患肝硬化的朋友求药,在西安秦华中医医院门诊就诊。我开方:小柴胡汤加土茯苓、丹参、赤芍、鳖甲等。服用两个月颗粒剂后,患者反应良好,其夫人来西安找我看病时,再次带药回国。2018 年 10 月,Sadikovic 医师先后介绍一些患者来西安找我就诊。因当时我在外地,由夫人吴喜荣接诊,获效良多,从而对中医崇拜有加,多次邀请我们访欧。访欧期间,我发现有一个患者就是在西安市中医医院国医馆网诊过的乳腺癌患者,她也介绍过其他患者来就诊。现述其病案:患者,女,49 岁,波黑人。2018 年 2 月行左乳腺癌手术,拒绝放化疗,2018 年 4 月 6 日网诊,开方为二贝母汤加味。服药 30 剂,后未再用药。近期复查,未见复发转移,患者形色如常,精神爽朗,手脚冰冷,自觉清淡饮食,一周来头、颈、肩疼痛影响睡眠,尿频,舌红苔薄中裂,舌下脉粗大,脉沉。辨证属气机郁滞,阴虚血瘀,外受风寒。治以调理气机,活血祛风,养阴。以四逆散加味为方:柴胡 10 克,枳实 10 克,白芍 20 克,甘草 10 克,葛根 20 克,姜黄 12 克,防风 12 克,玄参 20 克,丹参 30 克,瓜蒌 20 克,青皮 10 克,土贝母 10 克。30 剂,每日一剂,水煎服。

张先生,28 岁,在西安工作,2018 年 9 月 3 日第一次来诊时,主诉头晕、头闷,身上肌肉跳动 1 年多,严重影响工作和正常生活,在全国各地多处求医服药未果,他的一个发小在甘肃中医药大学读中医专业研究生,知道了他的情况后给他开了真武汤的原方,他服用之后症状有改善,但因为对下一步的治疗拿不准,患者的朋友不敢再继续开方了,并推荐其在西安找我诊治。刻诊:面黄,头晕、头沉重1年余,身上肌肉跳动,走路不稳,心前区不适,食亢,反复感冒,怕冷,大便不成形,舌淡红,脉数。患者乃真武汤证之外,尚有"心下有支饮,其人苦冒眩"的泽泻汤证,另外兼有外受风邪,心阳虚等证,用真武汤合泽泻汤加减,5剂。组方:制附片15克,茯苓15克,白术15克,白芍15克,生姜30克,生晒参10克,泽泻30克,桂枝10克,荷叶20克,山药30克,石膏30克,防风10克,天麻15克,葛根30克,苍术15克。2018年9月8号第二诊:患者自述诸症都有改善,舌淡红,脉沉。继续沿用上方,并做微调。制附片加到30克,防风加到20克,加肉桂10克,14剂。2018年10月8日第三诊:头闷、头胀减轻70%,走路多时会加重,走路不稳消失。服药期间未再感冒,停药后感冒一次。患者仍肌肉跳动,脱发,多梦,食亢,胸前区不适。谓学生曰:"整体说来患者病情在逐步好转,用药思路就是合方。医圣张仲景用药精炼,组方严谨,为后世立圭臬,建法度。临床上遇到的病情往往是复杂的,这个时候如果墨守成规只用一个方子,甚至是套用一个方子,就不行了。他初诊来的时候,我便看准了病在好几个方面,既有阳虚水泛,也有痰饮流动,还有外感风邪,心阳虚等,反复感冒就提示还有营卫不和的问题,所以用了真武汤,合泽泻汤、苓桂术甘汤、桂枝汤。从另一个角度说,有时候用一个方子里的一味药,就代表了合用这个方子,这是取其方意。比如说山药,就是取薯蓣丸之意,补虚祛风。而且我们虽用了五六个方子,药还不多,这就是用经方的奥妙。"患者这次反复强调了胸前区不适,这是心下悸的一种表现,桂枝加到15克,茯苓加到30克,14剂。2018年11月8日第四诊:取药14剂。

2018年12月8日第五诊,患者自述一年多来的各种不适、头晕、头顶胀及肌肉跳动减轻80%。舌淡胖脉沉。谓学生曰:"看病就像打仗,打仗不能只会冲锋陷阵,还要会撤退,就算是仗打赢了也要想想怎么撤退,万一遗留敌人反扑上来怎么办?所以怎么撤退也是一门学问。患者虽然病情已经好很多了,但是叶天士讲温病的时候说'炉烟虽息,灰中有火'也是这个意思。"继续用真武汤合泽泻汤作为基本方,另外加苓桂术甘汤,心阳虚加桂枝甘草汤。4个方子选用八味主药:泽泻30克,白术12克,桂枝15克,茯苓30克,白芍12克,制附片15克,生姜18克,炙甘草18克,14剂。2019年1月10日第六诊:已愈90%,上方不变,14剂,清扫战场以巩固战果。该患者于2019年7月13日来到西安易圣堂国医馆,送我一幅书法作品《仲景遗风》,其意境高远,我很喜欢。"难病没有绝奇方,患者精明医好当"。假如他急功近利,见异思迁,"虽司命无奈之何"。

崔某,男,36岁,陕西宝鸡人。2018年9月7日于西安市中医医院国医馆初诊。患者癫痫20余年,口苦,多食易发作,平素失眠,舌淡胖,苔白,脉沉。根据经验,癫痫多属太阳少阳合病,风火相煽,痰热上扰,心肾不交。该患者食多则发作,必兼宿食。开方柴胡桂枝汤合定志丸、交泰丸以泻风火、化痰热、安心神、通心肾、消积食。处方:(一方颗粒剂)鸡内金2袋,生柴胡1袋,黄芩1袋,姜半夏1袋,红参1袋,生姜1袋,炙甘草1袋,大枣1袋,甘草1袋,桂枝1袋,白芍2袋,石菖蒲3袋,茯苓1袋,制远志1袋,黄连3袋,肉桂1袋。用法:每天一剂,每剂400 mL,分两次口服,免煎,60剂。2018年11月7日复诊,未再癫痫大发作,偶有小发作,食多易发,白痰多,睡眠改善,舌淡胖、苔厚、有齿痕,脉细弦,上方继续使用60剂。2019年1月7日第三诊:两次饮食过多后有发作,程度有所减轻,上方继续使用 60 剂。2019 年 3 月 6 日第四诊,偶有癫痫小发作,痰多,纳差,睡眠、大小便正常,舌淡胖、有齿痕,脉滑。上方加山楂 2 袋,神曲 1 袋,红花 1 袋,桃仁 1 袋,苏子 2 袋。60 剂。2019 年 5 月 8 日,西安易圣堂国医馆第五诊,服药约 240 剂,仍有小发作,详细问诊,发则有痰,脖子僵硬作响,发作前胡思乱想,注意力不集中,持续一天左右,纳差,食多胃不适,易积食,积食多易发作,每在中午 1～2 点发作,发则鼻梁青,口已不苦,舌体胖大、有齿痕裂纹,脉滑。病有好转,三分去其一。重新辨证,脾胃为生痰之源,胃不和则九窍不利。乃风痰上犯,清窍被蒙,以培土熄风,化痰镇惊为主,养阴滋肾为辅,开方白金丸合六君子汤加味。处方:白矾 5 克,郁金 20 克,石菖蒲 15 克,远志 10 克,生晒参 10 克,茯苓 15 克,姜半夏 15 克,陈皮 10 克,炙甘草 10 克,莱菔子 12 克,神曲 10 克,磁石 15 克,山药 20 克,白蔹 10 克,防风 10 克,白术 12 克,白蒺藜 30 克,葛根 30 克,薏苡仁 30 克,木瓜 10 克,珍珠母 20 克。60 剂,水煎服,每日一剂。2019 年 8 月 2 日第六诊,家属及本人反映,服上方效果显著,小发作由每月五六次减为一两次且程度轻微。本应效不更方,但患者要求服用颗粒剂,乃依上方原量予服。尚缺白蔹和珍珠母,姑且不用,60 剂。癫痫作为疑难病,我们用柴胡桂枝汤确有效验,因而容易因循守旧故步自封。该患者就诊场所的变动,促使我另作计议,效果超前,既是情理之中,又是意料之外,给我们提供了治疗癫痫的后备方法。

鲁某,男,佳木斯人。2018 年 10 月因腹部胀痛 10 天就诊。胃镜检查:浅表糜烂性胃炎,胃角溃疡。活检:胃角中-低分化腺癌。患者拒绝手术化疗,从阅读中医相关书籍中看到我用半夏泻心汤治疗胃癌的经验,便从网上抄方自服,症状得到缓解。其后与我微信联系,视其舌面,拟方:姜半夏 15 克,红参 15 克,桂枝 12 克,干姜 10 克,黄连 12 克,黄芩 12 克,浙贝母 12 克,海螵蛸 20 克,壁虎 12 克,冬凌草 30 克,竹茹 12 克,大枣 20 克,炙甘草 6 克,栀子 12 克,瓦楞子 30 克,枳实 15 克,厚朴 15 克。患者一直坚持吃药,未停工作。2019 年 9 月 15 日佳木斯市中医医院面诊,舌红,苔薄白,有浅裂纹,脉沉。貌如常人,无任何不适。但舌有裂纹,真阴耗损,久病及肾不可视而不见。建议住院复查,无奈工作脱不开身,答应其后再查。上方加龟甲 20 克,山药 20 克,补肾益阴。

2019 年 9 月 27 日我在自己的公众号发表了《王三虎医话·茵陈蒿汤》,是我对经方的新悟。

2019 年国庆,我的新作完成,同时还传来我为英雄老兵网络义诊获效的消息。崔某,男,73 岁,四肢瘫痪 42 年,长期住院疗养。因突然无尿,检查诊断为急性完全性尿潴留。给予患者热敷下腹部及针灸对症治疗后仍未见患者自行排尿。予留置导尿,引流出尿液 600 mL,定时夹闭尿管促进膀胱排尿功能恢复,留置尿管 48 小时后拔出尿管,拔出尿管 5 小时后患者仍未自行排尿,继续给予患者留置尿管。2019 年 9 月 27 日我通过微信指导患者用药,开方:黄柏 12 克,肉桂 10 克,知母 15 克,生地黄 30 克,麦冬 30,百合 30 克。3 剂,水煎服,每日 1 剂。服药 3 剂后于次日拔出尿管,拔出尿管 2 小时后患者自行排尿,量约 400 mL,目前患者大小便正常。此病属中医癃闭,证属阴液大亏,湿热下注,膀胱气化失司,应以养阴燥湿,化气行水为法。以滋肾通关丸合百合地黄汤为主方取效迅速,既是情理之中,也出意料之外。滋肾通关丸通水道之下源,百合地黄汤开水之上源,加麦冬增强养阴增液之力。其实原方开的是百合 60 克,生地黄 60 克,因为"七年之病,三年之艾",患者作为荣誉军人,卧床数十载,积重难返又添急症,量不大不足以"济赢劣以获安"。我不仅对滋肾通关丸的使用得心应手,对《千金方》

用麦冬一味治"洪水"也感悟至深,对《神农本草经》百合"利大小便,补中益气"更是有很多心得。在庆祝中华人民共和国成立70周年的大喜日子里,我为英雄老兵网络义诊获效,何幸如之!

朱某,男,80岁,辽宁抚顺人。2019年7月19日在北京初诊:咳嗽,胸闷,气短,小便不利半月。查出肺癌、膀胱癌,拒绝西医治疗。有糖尿病史。白痰时干咳,食欲尚可,眠可,大便时干,尿频尿急、色深如茶,汗少,口干不明显,舌红,苔薄黄,脉滑数。辨病:肺痿,癃闭。辨证:肺热叶焦,小便不利。治法:养阴清肺,通利水道。方选海白冬合汤、小陷胸汤、当归贝母苦参丸、瓜蒌瞿麦丸加减。处方:海浮石30克,白英30克,麦冬30克,百合30克,姜半夏12克,黄连10克,瓜蒌30克,栀子12克,生地黄30克,人参12克,杏仁12克,紫菀12克,苍术12克,玄参12克,当归12克,川贝母6克,苦参12克,白茅根30克,天花粉30克,瞿麦20克,甘草10克。30剂,每日1剂,水煎服。患者从7月21日开始服药,8月18日再次网诊。服药后记录总结:呼吸有好转,夜间比白天好,但有时有压气感,咳嗽时压气感明显且伴喘,偶有少量痰,尿无力、淡茶色,夜间以三到四次居多,白天八到十二次不等。听水声便有尿意,尿急。大便基本每天一次,成型色黄。血压:高压110~130 mmHg,低压70~85 mmHg。其中最高一次高压151 mmHg,最低一次低压56 mmHg。每天服用二甲双胍一粒,饮食无变化,空腹血糖控制在7.8至8.6之间。每天坚持适当运动,但步行时有嗽喘。体重基本保持在67 kg。舌红,苔稍厚。嘱原方加紫苏子15克,石膏20克,增加化痰降气清热之力。9月2日网诊:"王老师,我父亲服用加了紫苏子和石膏的方子10天了,喘气困难,有时严重到肚子都会受累,咳嗽好些,但喘急也会引发咳嗽,夜间靠调整姿势减缓咳喘,需要调整方子吗?"考虑久病及肾,久病夹瘀,肾不纳气,嘱7月19日起方中加蛤蚧 1 对,桃仁 15 克,百部 12 克。9 月 23 日网诊:"王老师,我父亲的病情有点反复,开始 10 天挺好,喘好些,偶有咳嗽。这几天吸气可以,呼气引起喘,有时一说话就控制不住。咳嗽时有泡沫样白痰,发灰、味咸,没有血。心率 90 次/分,小便频数。前一周牙疼,发低烧,吃消炎药稍有好转。血糖 8.6,现在每天吃两次降糖药。"舌红,苔薄。上源亏乏,下源更需注意,上方减制合通关丸。处方:海浮石 30 克,白英 30 克,麦冬 30 克,百合 30 克,黄连 12 克,姜半夏 15 克,瓜蒌 30 克,干姜 9 克,人参 12 克,杏仁 12 克,当归 12 克,生地黄 30 克,蛤蚧 1 对,石膏 30 克,细辛 3 克,瞿麦 20 克,天花粉 30 克,知母 12 克,黄柏 12 克,肉桂 5 克。10 月 5 日网诊:"王老师,国庆节快乐! 我父亲的咳嗽稍有好转,但因前两天咳得厉害,现在嗓子哑了。我帮他艾灸了肺俞、膏肓、八髎、气海、关元、中府、云门等穴位,结果他开始牙疼了。另一个很严重的问题是他一直小便不利,希望能得到您的帮助,谢谢!"我回曰:"张仲景说,微数之脉慎不可灸。"上方加茯苓 30 克。10 月 12 日网诊:"老师,我父亲昨天尿不出,到医院插了尿管。若是前列腺问题可以不手术用中药调理吗?"答曰可以。"请您开方子,尿管插久了就更麻烦了。"口服药不变,甘遂 30 克,芫花 30 克,甘草 10 克,细辛 15 克,共研末,取适量醋蜜调成糊状,敷脐,可于服药三天后试拔尿管。治疗十余天,患者尿管已拔,情况逐步好转,但心率较块,平均超过110 次/分。张仲景"数脉不时,必生恶疮"之言再次获验,患者乃大虚之兆。原方人参加至 20 克,再加蝉蜕 10 克利咽开声可矣。此案错综复杂,终获佳效,与患者及家属的充分信任密不可分。即使用药无误,甚至预有措施,也由于疾病复杂使治疗一波三折,险象环生。以复杂应对复杂,多方合用在所必须。出彩者是内服多方不效,而不得不外用。这个方法是我的弟子内蒙古通辽的张英医生跟诊时提到的。教学相长,今有证矣。

现在网络发达,信息交流便利,也就有了网上讨论经方的机会。2019年11月3日收到微信:"王三虎教授,我是合阳县中医院的谭继林,想请教你,刘渡舟的《伤寒论》中说,阳明病治疗三法,其中治经表之邪,还要汗法,这与太阳病区别在何处,其代表方是什么,请赐教,谢谢!"回曰:"谭学兄好久不见,甚念!《伤寒论·辨阳明病》223条:若脉浮发热,渴欲饮水,小便不利者,猪苓汤主之。《伤寒论·辨阳明病》236条:阳明病,发热汗出者,此为热越,不能发黄也。但头汗出,身无汗,剂颈而还。小便不利,渴引水浆者,此为瘀热在里,身必发黄,茵陈蒿汤主之。""看来这是阳明汗法两个方剂。妥否,请示!""太阳在表,邪属风寒;阳明偏里,化为湿热。太阳以恶寒,阳明以口渴为辨证要点。茵陈之透表,猪苓之开腠理均为愚弟近年悟出。今能开诚布公,实在畅快!"

我开始宣扬经方已经两年多了。我在广西的研究生,即淄博市第四人民医院"王三虎经方工作室"的成员刘小超主治医师整理医案:李女士,45岁,2018年10月23日初诊,咳嗽2年余,右肺癌术后3月余。2016年发现多发肺结节,后于青岛大学附属医院就诊,疑似肺恶性肿瘤,2018年7月16日在全麻下行胸腔镜下右肺上叶后段切除、右肺上叶前段部分切除、右肺下叶切术、淋巴结清扫术。2018年7月19日病理示:(右肺下叶)微浸润性腺癌,周围型,直径0.6 cm,未侵及肺被膜,未累及支气管断端。术后无特殊治疗。现咳嗽,晚上严重,咽痒,胸闷,出汗少,无痰,咽部异物感,胃脘堵闷感,饥饿时加重,晨起口干、口苦,怕冷,眠差,二便调,唇紫暗(年少时即如此),无喉中痰鸣,右下胁痛,舌暗红,苔白腻,舌尖瘀点,右脉沉,左寸滑。患者还有乳腺结节、肝囊肿、肾囊肿。在就诊前,患者已服用王老师开的中药近1个月,主方就是王老师治疗肺癌和肺结节的常用方,厚朴麻黄汤加味,有一定效果,但咳嗽症状无明显缓解。后患者特来找王老师诊治。王老师分析,患者有口苦、咽痒、咽喉异物感,类似于少阳病的提纲,胁下痛,为少阳经病变。咳嗽日久不愈,考虑少阳风火犯肺所致,当用小柴胡汤。小柴胡汤能不能治疗咳嗽呢?《伤寒论》第96条:"伤寒五六日,中风,往来寒热,胸胁苦满,默默不欲饮食,心烦喜呕,或胸中烦而不呕,或渴,或腹中痛,或胁下痞硬,或心下悸,小便不利,或不渴,身有微热,或咳者,小柴胡汤主之。"明确提到小柴胡汤证有咳嗽症状。为了验证小柴胡汤的疗效,王老师开了小柴胡汤原方,只是在剂量上做了调整:北柴胡20克,黄芩12克,姜半夏20克,人参10克,生姜15克,甘草15克,大枣30克。2018年11月19日李女士复诊,服药14剂后患者咳嗽明显减轻,胸闷减轻,咳嗽时牵连胸口刀口处疼痛,打喷嚏则胁痛。患者有表证表现,邪气有外出趋势,加麻黄、防风,既可祛风止痛,又可宣肺平喘止咳,在原方基础上加麻黄10克,防风12克。小柴胡汤中没有一味止咳药,竟然有如此疗效,且价格低廉,真正应了中医"简便廉验"的特点。患者继续服药1月,疗效平稳。后诉服药后影响睡眠,遂变更服药时间,早上、中午服药,晚上不服药。小柴胡汤治疗少阳风火犯肺的咳嗽疗效肯定,但患者患肺癌,小柴胡汤能不能达到既缓解症状又治疗肿瘤的目的呢? 其实王老师早就提出了肿瘤可从六经论治的观点,用小柴胡汤的目的就是治疗肿瘤。

淄矿集团中心医院"王三虎经方工作室"成员崔文华副主任医师整理医案:张某,男,56岁。因脊索样脑膜瘤术后12年,阵发性头晕9年加重3年,于2019年3月18日到淄矿集团中心医院国医堂找王三虎教授诊治。患者于2007年在山东省立医院行脑瘤手术,术后3个月癫痫发作,2010年在北京首都医科大学宣武医院行癫痫手术治疗,此后癫痫未再发作,但术后出现脑积液及头晕症状,自3年前患者头晕症状加重,走路左偏,且患者头晕发作每于春夏加重,秋冬症状减轻,走路时感头晕,骑车时无明显不适,遇空旷处易发作,不敢望高楼,长期以来睡眠差,躺下2小时难以入睡,每日大便2~3次,喜热食,口渴喜饮,怕冷。舌淡红,苔薄黄,脉弦。其中患者反复强调的头晕症状具有明显的季节性特点,这该如何理解呢?王三虎教授一语道破,张仲景在《金匮要略·血痹虚劳病脉证并治第六》中早就说了:"劳之为病,其脉浮大,手足烦;春夏剧,秋冬瘥。阴寒精自出,酸削不能行。"原来先贤早就发现了,这就是虚劳病的特点。在"血痹虚劳病"篇中张仲景共提到了10个方子:黄芪桂枝五物汤、桂枝加龙骨牡蛎汤、天雄散方、小建中汤、黄芪建中汤、八味肾气丸、薯蓣丸、酸枣仁汤、大黄䗪虫丸炙甘草汤、獭肝散。该患者长期失眠,躺下2小时难以入睡,这不正是这10个方中"虚劳虚烦不得眠,酸枣仁汤主之"的适应证吗?所以患者首先可以用酸枣仁汤。再看患者的另一个主要症状——头晕,同时伴有怕冷、喜热食、口渴喜饮,且患者头晕症状是从癫痫手术出现脑积液之后出现的,考虑为脾肾阳虚,气化不行,水湿内停所致,符合真武汤证,"太阳病发汗,汗出不解,其人仍发热,心下悸,头眩,身瞤动,振振欲擗地者,真武汤主之"。真武汤在《伤寒论》中虽见于太阳病篇及少阴病篇,但其病机却是脾肾阳虚、水湿内停,亦是明显的虚证了。综合分析之后,王三虎教授给出以下处方:附片10克,茯苓15克,白术15克,白芍15克,生姜30克,炒酸枣仁30克,炙甘草6克,川芎12克,知母12克。15剂。纵观该患者的诊治过程,王三虎教授善于抓住患者的主要症状及发病特点,引经据典,充分展示了深厚的中医功底,同时也让我们再次认识到了中医经典、经方的重要性,激励并鞭策我们学好、用好经典和经方。患者其后还多次就诊,医患双方均感满意。

淄矿集团中心医院"王三虎经方工作室"成员李美琪医师整理医案:患者,女,16岁,2018年12月18日,因脱发伴颈部疼痛1年前来就诊,临床症见:脱发、头皮分泌油脂过多,头痒,伴颈部疼痛,颈部活动时有响声,前额部黑。舌淡红,苔薄,脉浮。王老师指示:葛根汤原方加白芷、何首乌。处方:葛根30克,麻黄10克,桂枝12克,白芍12克,生姜12克,大枣30克,甘草10克,何首乌15克,白芷10克。20剂,每日1剂,水煎服。2019年3月17日患者再次前来就诊,脱发减少,面色好转,额头发黑消失,已无颈项疼痛,颈部响声偶有出现,春节过后晨起有黄痰。舌红,苔薄白,脉滑。王老师指示:原方加苦杏仁10克,石膏30克,桔梗10克。14贴。案例分析:患者症见脱发,颈部疼痛,前额黑,舌淡红,苔薄白,脉浮。《伤寒论》第31条:"太阳病,项背强几几,无汗,恶风,葛根汤主之"。王老师给予葛根汤原方加阳明经祛风药之白芷、何首乌补肝血、乌须发,收到了良好效果。以往经验,脱发乃脾胃湿热、肝肾不足,大多给药以清热、补肝肾为主,很少有医家提到"风邪"致病。王老师首次提出了"风邪入里成瘤说","风邪"为最容易忽略的百病之长。《医宗金鉴》也提出"油风毛发干焦脱,皮红光膏难堪,毛孔风袭致伤血"。细问之下,王老师指出:患者脱发、颈部疼痛,此乃素体血虚,风邪袭表,符合葛根汤太阳经经输不利、风寒袭表、营卫不和病机。抛开了传统脱发为肝肾不足等条条框框,从六经病机辨证,为太阳伤寒表证,治则方药与病机吻合即可。患者再次前来就诊,自诉效果好,脱发好转,面色红润,已无风邪袭表之黑色面容,诉晨起咳黄痰,加石膏、杏仁、桔梗宣肺清痰热,继续服药治疗。王三虎教授善抓病机、问诊详细,不以西医病名来套中医的方药,从细枝末节出发,善抓微小主证,让我认识到作为一名"上工",不能再依照辨证分型来开处方，脑子里要有"六经"的思路，做到"有为"而治。

我到佳木斯市中医院开设工作室以来，深感该院在朱广媛院长的带领下，学习经方的热情高涨。肿瘤科时桂华主任更是以身作则，学以致用。佳木斯市中医院王三虎经方传承工作室丁黎薇、时桂华整理医案：患者，女，17岁，因颜面大面积红斑、渗出液伴瘙痒半月于2019年3月26日就诊。曾用含有激素的外用药膏治疗，用时减轻，停用加重。皮肤所见：面部红赤，鼻翼旁尤甚，双耳红赤，手心红而干，大便秘结，舌红，苔薄黄，脉滑数。王三虎教授曾指出，颜面乃阳明经走行，方用白虎汤加减。处方如下：石膏50克，知母12克，山药15克，甘草10克，牡丹皮12克，赤芍12克。7剂，每日一剂水煎服，早、晚分服。患者服药一周后再次就诊，皮肤红斑面积明显缩小，颜色变淡，瘙痒减轻，现面部皮肤略干燥，热象明显减轻，舌红少苔，脉细滑，属热后伤阴的表现，在原方基础上加人参10克，服用一周后痊愈。案例分析：患者皮疹发于面部，鼻翼尤甚，是足阳明经循行部位。"足阳明之脉，起于鼻……下循鼻外，入齿中，还出挟口环唇……循颊车，上耳前……至额颅。"患者鼻翼红赤，双耳红赤，口唇干燥，正是阳明经证。《伤寒论》第219条："三阳合病，腹满，身重，难以转侧，口不仁，面垢，发汗则谵语，……白虎汤主之。"206条："阳明病，面合赤色"。教材上白虎汤主治气分热盛证：壮热面赤，烦渴引饮，汗出恶热，脉洪大有力。本方为阳明经证的主方。临床上患者症状往往不典型、不全面，抓住"面合色赤"即可。方中用辛甘大寒的石膏为主药，专清肺胃之邪热，既可解肌透热，又可生津、止渴、除烦；辅以知母，其苦寒质润，性寒以助石膏清气分实热，质润可滋养热邪所伤阴津。王三虎教授常用山药代替粳米，因山药可益胃护津，又可防石膏、知母大寒伤中，辅以牡丹皮、赤芍，以清热凉血消斑，用甘草调和诸药。后期热后伤阴，根据《伤寒论》第222条"若渴欲饮水，口干舌燥者，白虎加人参汤主之。"白虎汤中加人参，既清阳明之燥热，又能益气生津，一举两得。现代药理研究，人参因富含人参皂苷，能促进血液循环，增加肌肤的营养供应，使面部肌肤细腻光滑，有美容的作用。对于白虎汤，王三虎教授不仅常用，还理清了用方的思路，取得了良好的疗效，让我学到了看病不要拘泥于辨证分型，要能够运用方证学说、经络学说，知常达变。

淄矿集团中心医院"王三虎经方工作室"成员钟菁也有感言：从医30余载，用过经方无数，自从2017年认识王三虎教授并拜师以后，对经方也有了新的认识，在临床中用起来也更加得心应手。病案一：患者，鼻塞流涕，遇冷加重，伴面色苍白、手足冰冷，月经延后一月。我记得王老师曾经用一个简单的桂枝汤治疗乳腺癌术后停经3个月伴颈部及上半身荨麻疹的患者。当时王老师用了桂枝汤原方治疗，我在旁边还问是否用药太少，师傅曰："不会"。半月后患者找我复诊，荨麻疹已愈，而且服用几剂药后月经来潮现已干净。观此病历感叹王老师辨证之准确，刻下见此患者就一桂枝汤证，遂拟桂枝汤原方加当归15克，7剂水冲服，患者后复诊，鼻塞流涕已愈，手足冰冷较前好转。上方去当归加防风10克，白术15克。继续用15剂，调和营卫，温煦固表。病案二，候某，女，47岁，心悸易惊，烦躁失眠，坐立不安，在心内科门诊和心理科门诊就诊服用黛立新3月余，考虑其副作用意欲停药，嘱患者服药减半，给予中药治疗。刻下见：面色如常，形体消瘦，坐立不安。自述烦躁失眠，心悸易惊，失眠以入睡难和寐中多梦为主，纳少，大便略干，舌红，苔薄，脉细数，符合心阴不足、心肾不交证，遂予黄连阿胶鸡子黄汤7剂水煎服。一周后复诊，患者诸症好转，继续用药7剂，两周后,患者心烦易惊、坐立不安等症状基本消失,入睡可,一夜可眠4～5小时,适逢月经来潮,上方加川牛膝15克,麦冬15克,5剂水煎服,嘱患者停服黛立新。患者月经干净后来诊,诉:月经量较前增多,现在无明显不适,仍有睡眠不足,有时噩梦。查:舌红、苔薄略黄,脉细数。患者仍符合心肾阴亏、心肾不交证,继续用黄连阿胶鸡子黄汤7剂善后。

淄矿集团中心医院"王三虎经方工作室"成员谭明琴主治医师:原发性小肠恶性肿瘤很少见,仅占全身恶性肿瘤的0.4％,所以跟随师父出诊过程中遇到的小肠肿瘤病例更是让我印象深刻。曾遇到一个病案,男,34岁,小肠肿瘤术后患者。2018年10月25日患者因间断性脐周腹痛伴肠鸣腹泻、便秘交替出现20天,按肠梗阻治疗9天无效,于12月10日行腹腔镜探查,诊断为小肠恶性肿瘤,病理考虑髓系肉瘤,行小肠肿瘤根治性切除术,术后化疗1次,因出现发热、腹泻,自行终止化疗。2019年3月18日患者于淄矿集团中心医院王三虎经方抗癌工作室就诊。患者就诊前1周感脐周腹痛伴肠鸣,多发于中午12点左右,每天发作1次,大便2～3次/日,泻后痛减,行走10分钟左右即感疲劳。饮食可,平日喜食肉类食物,睡眠可。舌暗红,苔黄厚,中有裂纹,脉沉细。开方薏苡附子败酱散、六君子汤加味:薏苡仁50克,附片10克,败酱草30克,人参12克,陈皮10克,姜半夏20克,白术12克,茯苓12克,槟榔15克,炒鸡内金30克,山楂15克,神曲15克,麦芽15克,砂仁10克,木香10克,黄连10克,干姜10克,肉桂5克,苍术12克,炙甘草12克,15剂。2019年4月18日复诊:服上药后患者腹痛未再发作,肠鸣次数减少,诉每日12:30至17:00大便3～4次,不成形,晨起有大便,便质正常。近三周来白细胞持续下降。近10天来入睡困难,口渴多饮,听到噪声易心烦。舌暗红,自觉苔黄厚腻好转,脉滑。王三虎教授指示:上方加猪苓汤、茜草、地榆(地榆30克,茜草12克,猪苓15克,泽泻10克,阿胶6克,滑石10克,15剂)。案例分析:患者在首诊时腹痛、纳眠可,平素吃肉食较多,舌暗红,苔黄厚,中有裂纹,脉沉细,乃燥湿相混,寒热胶结之表现。王老师首次提出了燥湿相混致癌论和寒热胶结致癌论,《药品化义》讲"薏米,味甘气和,清中浊品,能健脾阴,大益肠胃"。《神农本草经》讲附子"破癥坚积聚",《药性论》讲败酱草"治毒风顽疾,主破多年凝血,能化脓血为水"。薏苡附子败酱散健脾利湿,散寒清热,选药精当,紧扣病机,是经方治疗肿瘤的典范。考虑到患者平素喜食肉食,存在饮食积滞,肿瘤术后又伴有气虚乏力表现,加用六君子汤、槟榔、神曲、山楂等以补气健脾、消积导滞。复诊时患者口渴多饮,心烦失眠,正是猪苓汤证表现。《伤寒论》第223条:"若脉浮发热,渴欲饮水,小便不利者,猪苓汤主之。"第319条:"少阴病,下利六七日,小便不利,咳而呕,渴,心烦不得眠者,猪苓汤主之。"因为小肠主水液、营养的吸收,所以易出现水液不化的问题,水液不化影响到心肺,就容易出现心烦失眠、口渴咳嗽,那就是猪苓汤证了。王老师指出,猪苓汤的靶向器官就是小肠。而茜草和地榆是现代药理研究证明有升高白细胞作用的药物,故复诊加用茜草、地榆。王老师将经方合用、活用发挥得淋漓尽致,又别出心裁,也给了无数患者战胜疾病的信心。

黑龙江省青年名中医、佳木斯"王三虎经方传承工作室"时桂华主任总结:王老师在治疗肺癌的过程中,经常用到麦门冬汤,射干麻黄汤,千金苇茎汤等。同时他临床中不断总结创新,提出了"风邪入里成瘤说""寒热交结致癌论""燥湿相混致癌论""肿瘤从六经论治""肺癌从肺痿论治"的新思想。我在临床中借鉴王老师的经验使用海白冬合汤治疗了几十例肺癌及肺小结节的患者,效果十分显著。有一位患者,男,53 岁,结肠癌术后 5 年,发现肺结节 2 个月,最大的 5 mm,以海白冬合汤为主治疗了 3 个月,结节消失,患者无比兴奋!方如下:麦冬 20 克,海浮石 20 克,白英 20 克,百合 30 克,人参 10 克,柴胡 15 克,茵陈 15 克,金钱草 30 克,鸡内金 20 克,白芷 10 克,八月扎 15 克,藤梨根 15 克。

两年来我招收了 30 名秘传弟子。2019 年 10 月 26 号、27 号两天,来自上海、浙江、江西、广东、陕西、新疆、山东、内蒙古等地近 50 名学员济济一堂,在广州参加"王三虎经方抗癌"培训班。首批 5 位秘传弟子先后交流跟师学习心得和自己应用经方治疗癌症和疑难杂症的心得体会,充分说明跟师学习的必要性,也证明这种学习经方的方法记得住、用得上、可传承。

其中,乌鲁木齐市中医医院肿瘤科张黎主任医师讲述了他的跟师机缘和肺癌的经方治疗实践。会后还补充体会:回想这几年跟师的经历,每每遇到特殊病历,王老师都能用经典释疑。我举个病例,患者是我 78 岁的老父亲,某日中午,我有事去父母家,一进家门,就看见父亲穿着棉袄(家里已经开了暖气)坐在沙发上,两个鼻孔都用纸巾堵着,面色苍白,颜面虚浮,一问才知道,他从早上起床就不停地打喷嚏,午后变为流清涕,折腾得老人家筋疲力尽,说话都没劲了。父亲素有鼻炎,但一直比较轻,也不愿意治疗。这次因病情较重,便同意吃中药。父亲平时易出汗、感冒,有高血压。除了打喷嚏、流清涕外,还伴有恶寒汗出,查舌按脉,去医院开了 7 剂颗粒剂,并叮嘱服用方法,当晚就服了 1 剂。第二天中午我打电话询问情况,母亲高兴地告诉我昨晚服药后父亲就睡了,今早起来又服了一次,一上午没有打喷嚏,也没有流鼻涕。再三嘱咐其继续服药。自服药后,父亲不但症状消失,精神也很快恢复。治疗使用的是桂枝汤加减。组方:桂枝 15 克,白芍 12 克,生姜 10 克,大枣

10克,甘草10克,黄芪30克,白术15克,防风10克,细辛3克,乌梅15克,蝉蜕10克,辛夷10克,黄芩10克,百合15克。

广东省中医院博士生导师肖静主任医师讲述了她治疗妇科肿瘤的经方经验:我从1999年从事中西医结合普通妇科工作以来,经历了从学习临床经验方,到精简出确有疗效的经验方,再到从经方寻找突破的过程,其中以《傅青主女科》中的用方更贴近现代临床,疗效显著,成为我临床最喜爱的参考著作。2010年医院各级领导授命成立中西医结合妇科肿瘤专科之后,经过近十年的专科发展,中医特色疗法在妇科肿瘤治疗广泛运用,在保证治疗效果的同时使患者有更好的就医体验。然而妇科肿瘤并不单纯是一个手术专科,越来越多的人开始认识到恶性肿瘤的慢病特征,如何更精准地用药提高中药治疗卵巢癌的疗效呢?带着这个问题,我非常幸运地拜王三虎教授为师。2019年1月1日是我在西安跟诊王三虎教授的第一天。诊室来了一位曾经长期便秘的卵巢癌患者,12年前患者卵巢癌第一次复发时,王老师用小柴胡汤加减治疗收到良效,后病情一直未反复。不专用抗癌方药预防了卵巢癌的复发让我顿觉耳目一新。王三虎教授提出,卵巢癌的病机是"风邪入侵少阳,三焦水道不利,气机升降失常,进而影响血行,成积成块。"治疗上需根据疾病不同阶段进行辨病。早期风邪侵袭,三焦枢机不利,选用小柴胡汤疏利三焦。中期风邪入里,血水相搏,表现为腹水、胸水、腹痛,选用柴苓汤疏利三焦,化气行水;若阴虚水停,选用猪苓汤,养阴利水;若血水互结致痛加用当归芍药散,若血气刺痛选用红蓝花酒等。中晚期一般腹水肿块并存,若大便不行,小便不利,疾病日久化热伤阴,选用大黄甘遂汤(晚期患者消瘦,兼夹阴虚内热);若腹水不多,肿块增大,肠道梗阻,无小便不利,伤阴不明显者,选用大黄附子汤;若胸及纵隔转移,寒实结胸,先用文蛤散分利,再用五苓散化气行水,无热证者与三物小陷胸汤或白散化痰散结;若胸壁腹膜转移,形成水热互结之恶性胸腹水,选用大陷胸汤;若血水互结日久化热,耗伤阴血,四肢烦热者,加用千金三物黄芩汤。经方治疗妇科肿瘤还没有哪位医家进行系统归纳阐述,初识王三虎教授,便得倾囊相授,何其荣幸!以此启航,相信在不断临床运用中能更深刻体会经方的魅力,不辜负师傅的拳拳之心。

夫人吴喜荣比我早一年毕业于渭南中医学校。几十年来,她耳濡目染,也常有经方验案。病案:2018 年 12 月 25 日,患儿,男,3 岁 8 个月,今年以来每次发烧达 39.6 ℃左右,且 2～3 天就加重至肺炎,前后住院治疗 3 次,11 月 18 日才出院,现在又发烧如前。我当时在新加坡不能面诊,只能通过网络视诊,患者舌稍绛红,舌苔厚黄。问其症状:发烧 39 ℃以上 2～3 天,无规律,发烧时有恶寒状,3 天无大便,到医院门诊用药退热,随即复发。根据小孩的症状和舌象,发热多恶寒少,是太阳和阳明同病,外寒轻内热重,有入营之虑,以白虎汤加减。药用:石膏 15 克(先煎),知母 6 克,大黄 5 克,水牛角丝 10 克(先煎),杏仁 5 克,焦三仙 5 克,生姜 3 克,甘草 5 克。服了一次药后患儿开始大便,体温缓慢下降,坚持服药两剂,获愈。2018 年 8 月 3 日,李某,16 岁,经行腹痛呕吐不止两天,医院使用止痛药无效。患者腹痛难忍,呕吐,喜冷饮,唇红,舌红,苔黄厚腻,脉弦滑。辨证:素体有热,脾气不好,爱吃外卖、生冷食物,寒凝中焦,正值月经来时,疏泄不畅,阻滞气机,不通则痛。先行针刺中脘、足三里、气海、内关,针后痛减,嘱喝米汤后再未呕吐。开方为半夏泻心汤加减:柴胡 10 克,黄芩 10 克,清半夏 10 克,竹茹 10 克,党参 12 克,当归 12 克,白芍 12 克,连翘 10 克,黄连 10 克,延胡索 10 克,桃仁 10 克,木香 10 克,丁香 3 克,桂枝 3 克,煅龙牡 30 克,甘草 10 克。7 剂。患者吃了一次药稍有恶心再无呕吐。

我的女儿,西安市中医医院肺病科主治医师王欢发表验案:我在阎良区中医医院的内科病房查房时,曾遇到如下病例。患者,女,29岁,是一家社区医院的护士,因"反复咳嗽、咳痰、发热1个月,伴气短、出汗1周"入院。患者1个月前受凉后出现咳嗽、咳白痰、发热,伴头痛、咽痛,间断抗感染治疗后发热消失,咳嗽症状仍时轻时重,1周前出现气短不适,稍活动即气促、心慌明显,出汗较多,在本院门诊查心肌酶谱:CKMB 27 μ/L,心电图正常,遂以"心肌炎、急性支气管炎"收住入院。其余各项实验室检查均未见明显异常。主管医生给予营养心肌、增强免疫的方法治疗,以四君子汤加减,治疗一周,患者仍气短不适。床旁查看患者,形体略丰满,面色如常,精神欠佳,语言从容,手叉胸前,诉气短,活动后气促、心慌明显,咳嗽,咳白痰,无气喘,无胸痛,汗出较多,口不渴,食纳可,睡眠差,二便调。舌红、苔白稍腻,脉滑寸、脉浮。查体未见异常。询问病史,患者诉既往身体健康,此次系感冒后引起,平日工作较辛苦,经常倒夜班,再问有无情绪因素,患者笑答平素性格爽朗,家庭和睦。看完患者,我转身对主管医生说,这就是短气病啊,主管医生一脸茫然,我接着说《金匮要略·胸痹心痛短气病脉证治第九》:"胸痹,胸中气塞,短气,茯苓杏仁甘草汤主之,橘枳姜汤亦主之。"主管医生仍半信半疑,我且先开了3剂药:茯苓10克,杏仁10克,炙甘草9克,橘红12克,枳壳12克,生姜3克,党参10克,麦冬10克,五味子6克,茯神10克,酸枣仁10克,制远志6克。药味虽然不多,但其实是茯苓杏仁甘草汤、橘枳姜汤、生脉饮三方合方,患者因外感后发汗不彻底,肺气不宣,津液疏布不畅,以茯苓杏仁甘草汤宣发肺气;口不渴,苔白稍腻则提示中焦微饮停留,影响气机调畅,橘枳姜汤燥湿化痰、行气和胃;发热、汗出多致气阴两伤,生脉饮益气生津、固表止汗;再加茯神、酸枣仁、远志宁心安神。我父亲曾用茯苓杏仁甘草汤和橘枳姜汤合方治好了不少疑似哮喘其实是短气病的患者,我也将其经验总结成《王三虎教授诊治短气经验》一文,发表在 2016 年 1 月《陕西中医药大学学报》上。第二周再查房时患者气短症状明显改善,复查心肌酶谱正常,只是睡眠仍不佳,前方改酸枣仁为 20 克,带药 7 剂安然出院。患者最后症状消失,即停药。

引用了这些,我想说的是:经方好学、好用、好传承。

2003 年,突如其来的"非典"把我带入到了非常激动、非常振奋的工作中,我开始了对"非典"的理论研究。在一周以内,我就在《中国中医药报》通栏标题发表了《中医预防瘟疫的途径和方法》一文,同时第四军医大学药物研究所及时推出了"御瘟冲剂",为当时陕西乃至周边地区的预防工作发挥了一定的作用。很快我又写了第二篇文章《非典型肺炎可从结胸论治》,这篇文章投稿不久,《中国中医药报》的编辑就给我打电话再三敲定,但谁知事情有变,编辑部领导审查时临时要将我的文章换成一线医生的文章。这个事情让我突然清醒,我确实是没有在抗疫第一线,应该让参与一线工作的同志们的经验得到更好地传播。

这次新冠肺炎疫情暴发时,我父亲多次鼓励我上前线,2020 年 2 月 1 日我离开合阳到西安的时候,老父亲还端出一杯酒,让我像李玉和那样,"临行喝妈一碗酒,浑身是胆雄赳赳"。尽管这样,我觉得我还是要多听听前线专家、医生的观点。我在广西培养的第一个研究生杨子玉当时在武汉前线,他一个人最多的时候要管 200 多个患者,也为我获得第一手研究资料提供了条件。

王辰院士评价了用中药传统汤剂银翘散和麻杏石甘汤治疗甲型 H1N1 流感的疗效,结果和西药达菲对照疗效相当,价格只有其八分之一。银翘散为何要加麻杏甘石汤呢,这到底是温病还是伤寒？我们要看到疾病的本质，这就是所谓的辨病论治。我认为辨病论治就是解决疾病的主要矛盾，即解决疾病发展过程中不同阶段或者不同个体间的主要矛盾，辨证隶属于辨病。那么有人会有异议，辨证论治不是源于张仲景么？张仲景《伤寒论》第16条说："太阳三日，已发汗，若吐、若下、若温针，仍不解者，此为坏病，观其脉证，知犯何逆，随症治之。"大家要看清楚，这是在辨病受到阻碍的情况下才随症治之、才辨证，不是一开始就辨证。那为什么中医的辨病越来越式微呢？是因为我们的辨病很难进行了，用望、闻、问、切得到的辨病诊断受到越来越多的限制，所以现在所谓的辨病就包括了现代医学对于疾病的诊断。对于新冠肺炎，我们该怎么辨？首先是病因，我认为新冠肺炎的病因首先是病毒，结合现代医学，我认为它的病因就是"疫毒"。这和我们"三因学说"好像有点区别，内因、外因、不内外因，风、寒、暑、湿、燥、火，这个"毒"究竟是寒还是热呢？我们平时所谓的风寒感冒、风热感冒一定就是受了风寒吗？一定就是受了风热吗？想想看，不管感冒也好、流感也好，尤其是普通感冒，初期有点恶寒、发热、流鼻涕、打喷嚏，过几天变成咽喉疼、痰黄、咽干，这究竟是风寒感冒还是风热感冒？古人早就认识到了这一点，外邪的入侵随着体内的寒热虚实的变化而变化，所以《医宗金鉴·伤寒心法要诀》专门提了一条"伤寒传经从阳化热从阴化寒原委"，我觉得讲得非常好，从此我在临床中也是贯彻这样的思想：六经为病尽伤寒，气同病异岂期然；推其形藏原非一，因从类化故多端；明诸水火相胜义，化寒变热理何难；漫言变化千般状，不外阴阳表里间。同样是感受外邪，有的人可能表现出一种热像，有的人可能表现出一种寒湿之像，这与病毒侵犯人体后与体内的伏邪、体质的寒热以及所处的环境有关。所以，对于此次疫情，有的专家认为是温病，有的专家认为是寒疫，我觉得都对。

在病毒、疫毒的作用下患者表现为有寒、有热,甚至也可以夹寒、夹热、夹湿、夹浊、夹风,这就是疾病的复杂性,这也是我们学术进步的表现。

我们这一次没有过多地提到六经的传变、三焦的传变,也没有过多的强调卫气营血,而是实实在在从疾病的病因、表现入手,提出了"清肺排毒汤"(麻黄9克,炙甘草6克,杏仁9克,生石膏15～30克先煎,桂枝9克,泽泻9克,猪苓9克,白术9克,茯苓15克,柴胡16克,黄芩6克,姜半夏9克,生姜9克,紫菀9克,冬花9克,射干9克,细辛6克,山药12克,枳实6克,陈皮6克,藿香9克),恰恰就能说明这一次的疫毒夹寒、夹热、夹湿、夹风。清肺排毒汤是由麻杏石甘汤、射干麻黄汤、小柴胡汤、五苓散加味组成,如果说麻杏石甘汤是针对寒邪化热的话,小柴胡汤和五苓散的使用就值得我们考虑,我们以前的"六经"概念是不是全面。其实,至少我自己认为我们以前对"六经"的认识是片面的,从《黄帝内经》到张仲景,包括现代,我们过多地强调了足经,忽略了手经。所以常把太阳经理解成足太阳膀胱经,把少阳经理解成足少阳胆经,把阳明经理解成足阳明胃经,其实手经、足经都是六经的内涵。

这次病毒侵犯病位在肺,"温邪上受首先犯肺"为什么病邪犯肺呢?因为"肺为娇脏",肺、消化道和皮肤是人体和外界直接相通的三个器官。其中肺与呼吸息息相关,一时一刻都停不了,所以外邪首先犯肺。如果从辨病的角度讲,我觉得这次的病名可以叫"疫肺",疫毒直接侵犯肺,但"疫肺"的疫毒之邪不但侵犯了肺、侵犯了手少阳三焦经,而且还侵犯了手太阳小肠经,是一种寒湿、湿热、湿邪弥漫三焦的表现。

这一次的新冠肺炎病毒在侵犯肺、三焦的同时也侵犯了我们常轻视的小肠,我们不能轻视小肠在水液代谢中间的作用。

"清肺排毒汤"中用到五苓散就是一个非常实际的例子。五苓散可用于治疗小肠的水气不化,用五苓散化气行水,用小柴胡汤疏利三焦,用射干麻黄汤宣肺散寒,用麻杏石甘汤清肺热,寒热并用。所以"清肺排毒汤"才能取得如此效果。当然在实际使用中若患者表现为偏于寒疫、寒湿的话,《太平惠民和剂局方》中的"十神汤"(川芎、麻黄、葛根、紫苏、赤芍、升麻、白芷、炙甘草、陈皮、香附)也是非常好的药方。王庆国教授有这方面的经验,"十神汤"用于治疗时令不正,瘟疫妄行,人多疾病。蒲辅周老先生曾强调十神汤为"寒疫重症宜之",这就是在辨病条件下有辨证论治的思路。尤其是"十神汤"中的升麻,非常符合我们针对疫毒的解毒理论。我们讲"善治者治皮毛",在疫病初期要宣肺散寒、清热解毒、化湿利浊,使疫毒孤立,"其势孤也",疫毒就不能肆意妄为,甚至被我们排出体外,这一特点不仅仅体现在麻黄上,苍术、茯苓、藿香这些化湿药都有这个作用。

还有一个问题,舌苔厚腻的湿和阴虚的矛盾,如果说我刚才讲的是寒热并见的话,那我们现在还要考虑到燥湿相混的问题。湿从哪里来呢?我认为,湿和燥是一个问题的两个方面,所以当我们看到痰湿的时候不能忘了养阴。新冠病毒不按常理出牌,似有似无,飘忽不定,这是什么原因?风邪夹杂其中,有风邪在变化就很快,所以麻黄、紫苏、葛根祛风散寒是很有必要的。我简单总结了一下,这是"寒湿之疫,涉及面广,肺与小肠,首当其冲,脾阳受伤,百脉易伤,肾不纳气,危重难防。"说到肾不纳气,危重症我们目前还没有用到人参蛤蚧散,当气上不来时,肾不纳气,伐了人体的根本,所以用补肾纳气也是一种方法。当湿浊夹风弥漫三焦的时候就容易出现危重症。姜良铎教授提到了气与津液的关系,王庆国教授也提到了危重症用"生脉散"和"三石汤",这实际上就是湿去阴伤,既有湿热、寒湿,又有阴伤,本来湿热相合如油入面,难分难解,加之再有阴伤,是疾病趋于重症的一个基本病机。我们既要用生脉散补气养阴,也要用三石汤(石膏、滑石、寒水石)排邪外出。

对于恢复期患者,我们一定要注意到炉烟虽熄,灰中有火,注意益气养阴及疾病的反复,张仲景《伤寒论》最后四个字"损谷则愈"是非常有意义的。康复期患者脾胃受伤,恢复有一个过程,一定要饮食清淡,不要急于吃得太多,中医里叫"食复",这一点还是非常重要的。

同时,升麻、木香、苍术也是非常好的预防药。张仲景其实也提到"针足阳明,使经不传则愈"。中医针灸足三里穴的方法,非常实用,值得推广。

另外,大量输液对于一般外感疾病、疫毒是不是合适值得我们讨论。我想起《伤寒论》第76条"发汗后,饮水多必喘,以水灌之亦喘。"张仲景说的"以水灌之"不就像极了现在的大量输液吗?既然有寒湿,有湿、痰,液体摄入量就要受到限制,从中医角度讲,有湿就要燥湿、化湿、利湿,非常容易理解。

上面说的是我个人对这次疫情用药的一些想法。在大疫面前,我们要齐心协力,集思广益,能在战胜新冠肺炎的战役中发挥一点作用,也"不枉多年读伤寒"。

中医治疗瘟疫大有作为,其中就有好多药供我们选择,防治瘟疫的几个常用药,第一个就是升麻。《神农本草经》升麻:"主解百毒,杀百老物殃鬼,辟温疾、障、毒蛊。久服不夭。"升麻可解百毒,自然能"解"包括疫毒乃至新型冠状肺炎病毒。《太平惠民和剂局方》治瘟疫的十神汤就有升麻,绝对不是偶然的。第二个,木香,《神农本草经》:"味辛,主邪气,辟毒疫温鬼,强志,主淋露。久服,不梦寤魇寐。"其味香辟秽,是中医防疫的常用药。第三个,苍术,陈士铎《本草新编》说得很明白："辟山岚瘴气,解瘟疫尸鬼之气",黄元御谓:"辟山川瘴疠"。从清代开始一直到现代,苍术一直是中医行之有效预防瘟疫的主药,使用方法是通过在室内燃烧烟熏达到消毒的目的。当然苍术燥湿健脾的功效对于此次新型冠状病毒肺炎的湿浊痰阻、食欲不振也很对症,舌苔白、厚腻是应用指征。第四个,厚朴,理气化痰,散结除满。其对于从口鼻而入的瘟疫造成的湿浊胀满,化解散结力量雄厚。张仲景的厚朴麻黄汤、治疗瘟疫邪伏膜原的达原饮都是重用了厚朴。王剑宾《国药诠证》认为:"厚朴,为治疗一切湿病之专药,凡热病挟寒湿者,以温热药治之则助热,以清热药治之则助寒,均不能适中病势,惟有以厚朴燥湿散寒,则寒湿俱化而可以获愈。"看来厚朴特别适合新型冠状病毒肺炎夹寒、夹热、夹湿的特点。第五个,槟榔,该药是《瘟疫论》治疗瘟疫邪伏膜原达原饮的主药,量最大。新冠肺炎尸检中发现死者双肺布满黏痰,致使患者不能呼吸而亡,槟榔堪当此大任。《外台秘要方·卷第九》引用《广济》:"疗肺热咳嗽,涕唾多黏,甘草饮子方。"其中槟榔就有十颗,十颗按照现在的计量单位算有60克了,而其他药呢,甘草六分、款冬花七分、生麦冬八分等,都无法和槟榔的用量相比,如此用量一定有原因。李中梓《雷公炮制药性解》中提到槟榔:"主消谷逐水,宣脏利腑,攻坚行滞,除痰癖",痰癖就是要用槟榔来解决的。黄元御《玉楸药解》提到槟榔:"降浊下气,破郁消满,化水谷之陈宿,行痰饮之停留,治心腹痛楚。疗山水瘴疠",都强调了槟榔的作用。第六个,滑石,《神农本草经》讲滑石:"利小便,荡胃中积聚寒热,益精气",瘟疫病中能给邪气以出路。所以,《温病条辨》的三石汤(滑石、石膏、寒水石)就是治疗"暑温蔓延三焦"等危重病的。中药有一个特点就是双向调节,滑石、百合都是双向调节的药。表面上看滑石是利水的,其实它还能养阴;表面上看百合是养阴的,其实它还能利水,这就是中药的奥妙之处。李时珍说:"滑石上能发表,下利水道,为荡热燥湿之剂。发表是荡上中之热,利水道是荡中下之热,发表是燥上中之湿,利水道是燥中下之湿。热散则三焦宁而表里和,湿去则阑门通而阴阳利。"最后,还有一个药,葶苈子,以葶苈大枣泻肺汤治疗胸水为广大中医所熟知。实际上,张仲景曾三次提出葶苈大枣泻肺汤的应用。《金匮要略·肺痿肺痈咳嗽上气病脉证治第七》提到了两次:"肺痈,喘不得卧,葶苈大枣泻肺汤主之。""肺痈胸满胀,一身面目浮肿,鼻塞清涕出,不闻香臭酸辛,咳逆上气,喘鸣迫塞,葶苈大枣泻肺汤主之。"《金匮要略·痰饮咳嗽病脉证并治第十二》:"支饮不得息,葶苈大枣泻肺汤主之。"我们只觉得它能利肺水,实际上它的作用太强大,我一般用葶苈子30克,就能使痰从大便而出。黄元御《玉楸药解》说得好:"葶苈苦寒迅利,行气泻水,决壅塞而排痰饮,破凝瘀而通经脉。凡停痰宿水、嗽喘肿胀之病,甚奏奇功。"这次新型冠状病毒肺炎由于痰黏于肺引起的呼吸窘迫综合征非此莫属。

让我们以我家乡药王庙门前的对联共勉吧:"天下药治天下病无病不能治,世上人除世上灾有灾便可除"。

跋

《我的经方我的梦》出版五年多来,五次印刷,经受住了市场的考验。近几年来,我在国内二十几个城市和欧美十多个国家举办有关"经方抗癌"的讲座近百余场,开设十八次经方抗癌专题学习班,其中涉及的主要还是《我的经方我的梦》中的内容。业内同仁也给予了本书较高的评价。比如范增光、袁野、杨建飞、周亚滨发表在《中医药导报》上"王三虎《我的经方我的梦》读后感"一文,纳入国家自然科学基金项目(No. 81573935)、黑龙江省博士后基金项目(LBH‐Z08007),这早已超出我的预期。

2019年7月中旬,我在北京见到腹针专家林超岱教授,他在赞誉这本书的同时,也从中医出版的角度指出了《我的经方我的梦》中存在的一些问题。这是我要尽快修改并再版《我的经方我的梦》的起因。正如韩愈所说:"与其有誉于前,孰若无悔于后。"

作为学经方出身的中医,我也沾了微信等新兴媒体的光。比如我在微信公众号上的讲座,前四讲的录音被中医书友会整理成《从乡间小路上趟出的经方家》一文,阅读量达到3.5万,《肿瘤可从六经论治》阅读量3.6万,《我用经方治癌症》阅读量8.6万。以我名字命名的公众号现拥有粉丝近1.8万人,仅2019年陕西医疗自媒体联盟公布的个人微信公众号每月榜单数据显示已有两次荣登榜首。我在深圳、淄博、台州、佳木斯、渭南、北京个人工作室业务的相继开展和西安本地业务的不断拓展，使我对经方的运用较前更宽、更多，体会也渐趋深入。越用越能发现经方的魅力，越用越觉得自己以前的肤浅和不足。把这些新内容整理出来，不仅是个人的阶段总结，也是对读者的负责和向关心我的同仁的汇报。

《我的经方我的梦》中的内容仍局限于张仲景《伤寒杂病论》中的方剂。宋代医家在整理出版《金匮要略》的时候已经大胆地将《千金方》的一些内容附于其后，以弥补经方的不足。我的经方梦，当然也包括《千金方》。我于1988年研究生毕业回到陕西后，逐步开展对《千金方》的研究。1998年，我作为主编出版了《120首千金方研究》一书，在这个过程中我也对其中的十余首方剂进行了研究，积累了更多经验。这也是本书第二版所增添的新内容。

1992年，我写《经方各科临床新用与探索》时，觉得张仲景讲过的我们都清楚，就不需要再写了，所以内容写得比较简洁。但是，后面在研究时觉得仲景的原文越读越新，字里行间、片言只语都值得钻研。所以，我在写《我的经方我的梦》时，考虑到学经方就应全面确切地了解原文，包括适应证、组成、剂量、煎服法等，在讲到主要经方时，就以"经方溯源"的形式引用了仲景原文。经方在仲景全书中多次出现，放在一起更能形成全面的认识。当我2019年9月出席淄博经方学术会议聆听曲夷教授重温李克绍教授学术思想时，才发现原来我在1982年阅读《伤寒解惑论》时吸收的知识早已根植入骨髓中，已经分不清哪些是李教授说的，哪些是我的观点了。把《伤寒论》《金匮要略》两书的条文放在一起就是这种思想的体现，因为本来就是一本书嘛！李克绍教授是这样说的："《伤寒论》的条文……互相联系、互相对照、互相启发、互相补充，是不可分割的一个大整体。因此读《伤寒论》时，不能条条孤立，必须有机地互相联系在一起，才能领会得更为全面、更为渗透。"第一版内容受个人当时记忆所限，有所遗漏，这次再版，以补充完善。还有，张仲景《伤寒论》是没有条文号码的，大约在20世纪60年代才开始编上条文号码，确实有助于学习记忆和查找，所以这次再版加上条文号码，方便读者查证。至于《金匮要略》，由于篇章较多，没有统一编制条文号码，传统观念上大家也都不强调多少条，也就只按原书的22个部分罗列了。另外，本书中的《伤寒论》内容依据1973年中医研究院编的《伤寒论译释》，《金匮要略》依据1973年湖北中医学院编的《金匮要略释义》。唯一修改原文的是，参照《伤寒论译释》体例，适应横排版的实际，将《金匮要略》方后竖版书的"右……味"，直接改为"上……味"。不然，读者阅读时容易一头雾水。

本书第一版是严格按照时间先后顺序讲的，这次也基本遵循了第一版的时间线。但有些特殊情况下时间线是有所跳跃的，比如有关乌头赤石脂丸和薏苡附子散等的叙述。我在文中都注明了事情发生的时间，看官不可草草读过。

感谢为本书增光添彩的作序者。

王三虎

2020年5月10日于西安过半斋

经方索引

麻黄汤方 /3

小青龙汤方 /4

桂枝甘草汤方 /6

半夏散及汤方 /6

葛根黄芩黄连汤方 /10

旋覆代赭石汤方 /11

大黄黄连泻心汤方 /12

茯苓桂枝白术甘草汤方 /14

茯苓桂枝甘草大枣汤方 /14

射干麻黄汤方 /15

半夏泻心汤方 /16

小建中汤方 /20

甘草小麦大枣汤方 /20

柴胡加龙骨牡蛎汤方 /21

当归四逆汤方 /22

小柴胡汤方 /28

柴胡桂枝干姜汤方 /33

猪苓汤方 /33

五苓散方 /35

麻子仁丸方 /37

薏苡附子败酱散方 /38

大黄牡丹汤方 /39

白虎汤方 /40

茯苓杏仁甘草汤方 /42

橘枳姜汤方 /42

瓜蒌薤白半夏汤方 /45

乌头赤石脂丸方 /46

薏苡附子散方 /47

桂枝汤方 /49

新拟葛根汤方 /55

葛根汤方 /56

瓜蒌桂枝汤方 /58

泽泻汤方 /60

百合地黄汤方 /61

蒲灰散方 /62

滑石白鱼散方 /63

茯苓戎盐汤方 /63

黄连阿胶汤方 /65

当归芍药散方 /66

干姜黄连黄芩人参汤方 /67

乌梅丸方 /70

海白冬合汤方 /77

葶苈泽漆汤方 /81

甘草干姜汤方 /86

射干麻黄汤方 /86

皂荚丸方 /86

厚朴麻黄汤方 /87

泽漆汤方 /87

麦门冬汤方 /87

葶苈大枣泻肺汤方 /88

桔梗汤方 /88

越婢加半夏汤方 /88

小青龙加石膏汤方 /89

《外台秘要》炙甘草汤方 /89

《千金方》甘草汤方 /89

《千金方》生姜甘草汤方 /89

《千金方》桂枝去芍药加皂荚汤
方 /90

《外台秘要》桔梗白散方 /90

《千金方》苇茎汤方 /90

泽泻汤方 /92

木防己汤方 /96

木防己去石膏加茯苓芒硝汤方
/96

软肝利胆汤方 /97

保肝利水汤方 /98

硝石矾石散方 /110

大建中汤方 /114

薯蓣丸方 /115

柏叶汤方 /118

黄土汤方 /118

薏苡附子败酱散方 /118

温经汤方 /119

瓜蒌瞿麦丸方 /120

当归贝母苦参丸方 /120

三物黄芩汤方 /122

抵当汤方 /124

调胃承气汤方 /126

大承气汤方 /127

小承气汤方 /131

桂枝加芍药汤方 /133

桂枝加大黄汤方 /134

大陷胸丸方 /142

大陷胸汤方 /143

小陷胸汤方 /144

文蛤散方 /144

白散方 /144

桂枝甘草龙骨牡蛎汤方 /153

小建中汤方 /154

半夏散及汤方 /156

和硕士导师宋立人老师在一起　　　　和博士导师王宗仁老师在一起

名中医证书

和女儿王欢一起义诊

当年积累的经方读书卡片

初学伤寒的王三虎

和把我带入医学殿堂的伯父王仰文在一起

研究生毕业答辩——结胸证研究